René Depestre

Le mât
de cocagne

Gallimard

René Depestre est né en 1926 à Jacmel (Haïti). À dix-neuf ans, il publie ses premiers poèmes, *Étincelles*. Opposant au régime du dictateur Lescot, il joue un rôle dans sa chute en 1946, mais est contraint à l'exil par le comité militaire qui prend le pouvoir.

Il séjourne plusieurs années à Paris où il entreprend des études de lettres à la Sorbonne et de sciences politiques. Après un périple agité en Europe et en Amérique du Sud (Chili, Argentine, Brésil), ballotté d'une rive à l'autre de la guerre froide, il passe près de vingt ans à Cuba. En 1978, il rompt avec la révolution de Fidel Castro et s'installe définitivement en France. Il obtient la nationalité française en 1991. En 1979, il entre au secrétariat de l'Unesco, d'abord au cabinet du directeur général, M. M'Bow, ensuite au secteur de la culture pour les programmes de création artistique et littéraire. Il prend sa retraite en 1986 et se retire dans l'Aude pour se consacrer à la littérature.

René Depestre a écrit de nombreux livres de poèmes et deux essais : *Pour la révolution pour la poésie* (1974) et *Bonjour et adieu à la négritude* (1980). Il a publié des romans : *Le mât de cocagne* (1979) et *Hadriana dans tous mes rêves* (1988), pour lequel il a reçu le prix Renaudot (Folio n° 2182). Il est aussi l'auteur des nouvelles *Alléluia pour une femme-jardin* (1981), bourse Goncourt de la nouvelle 1982 (Folio n° 1713) et *Éros dans un train chinois* (Folio n° 2456). Son *Anthologie personnelle* a reçu en 1993 le prix Apollinaire de la poésie. D'autres distinctions littéraires ont attiré l'attention des lecteurs sur l'écrivain franco-haïtien : prix du roman de la Société des Gens de Lettres (1988), prix Antigone de la ville de Montpellier (1988), prix du roman de l'Académie royale de langue et littérature française de Belgique, bourse de la fondation Guggenheim (1994) pour l'ensemble de ses travaux autobiographiques (en préparation).

à Nelly, Paul-Alain et Stéfan

« *L'ambizione del mio compito non m'impedí di fare molti sbagli.* »

novel in which real pp/events appear w/ invented names

Le mât de cocagne *n'est ni une chronique historique, ni un roman à clefs, ni une œuvre d'origine autobiographique. Le Grand pays zacharien dont il est parlé est, de toute évidence, une contrée imaginaire qui ressemble, en plus fou, au pays de cocagne. Les événements et les personnages de ce récit appartiennent donc à la pure fiction. Toute ressemblance avec des êtres, des animaux, des arbres, vivants ou ayant vécu, toute similitude, proche ou lointaine, de noms, de situations, de lieux, de systèmes, de roues dentées de fer ou de feu, ou bien avec tout autre scandale de la vie réelle, ne peuvent être l'effet que d'une coïncidence* « non seulement fortuite, mais proprement scandaleuse ». *L'auteur en décline fermement la responsabilité, au nom de ce que des esprits éclatants de rigueur et de tendresse ont appelé les* « droits imprescriptibles de l'imagination ».

hyperbolic indignи sarcasm

Il était une fois un homme d'action qui était contraint par l'État à gérer un petit commerce à l'entrée nord d'une ville des tropiques. Cet homme s'appelait Henri Postel. La boutique, marquée par les autorités à l'enseigne de « L'arche de Noé », dépendait de l'Office National de l'Électrification des Âmes (ONEDA).

Un après-midi d'octobre, le Grand Électrificateur des âmes, après avoir écouté un important rapport du ministre de l'ONEDA, lui avait déclaré :

— Ton exposé, mon cher Clovis, était tout à fait remarquable. Il y a juste un point où je ne te suis pas : le sort de l'ex-sénateur Henri Postel. Nous devons procéder à son égard avec plus d'habileté qu'envers le menu fretin des conjurés. Notre homme est encore influent. Le noyer dans le bain de sang de cette nuit, c'est lui faire cadeau, à bon compte, des palmes du martyre. De sa fosse étant, il sera encore capable d'organiser des complots. Il vaut mieux lui fabriquer la mort la plus naturelle qui soit.

— Nos poisons ne sont-ils pas là pour ça, Excellence ? avait dit Clovis Barbotog.

— Pour Postel, vois-tu, cette formule ne m'emballe pas.

— Et le suicide téléguidé ?

— Non plus.

— Et la dernière promenade en hélicoptère ?

— Non, cher Clo. Aucune de nos méthodes habituelles. Un adversaire de son format mérite une fin <u>hors série</u>. Je pense à une mort qui lui grignote lentement l'esprit avant de s'attaquer à son corps.

— Faisons de lui un zombie pour le restant de ses jours !

— C'est pas croyable : nos matières grises travaillent à l'unisson. Figure-toi que depuis deux jours, je mitonne quelque chose d'approchant. J'ai décidément écarté les mécanismes de zombification du siècle dernier.

— Ils présentent trop d'aléas ?

— Oui. En plus de ça, ils ne cadrent pas avec notre âge électronique.

— Ça sent trop l'empereur Faustin Ier ?

— Depuis notre Faustin Soulouque, le monde a fait des progrès en la matière. Je veux voir Postel se mouvoir librement dans la société des hommes, avec ses souvenirs, ses sensations, ses idées, ses goûts et ses haines. Il n'aura ni l'air absent ni le regard vitreux de nos traditionnels morts-vivants. Il faut qu'il demeure jusqu'au bout conscient de son état.

— C'est la gomme à effacer l'homme à partir de sa conscience !

— N'est-ce pas génial, hein ? Dans mon système, le facteur zombifiant sera logé au-dedans de Postel. La mort montera de son inconscient comme une névrose qui le trompera à chaque instant. Il prendra pour un sursis le chemin qui le conduit tout droit sous la terre. L'électrification des âmes accède à une nouvelle dimension métaphysique : la mort qui ressemble plus à la vie qu'à toute autre chose.

— La zombification par soi-même !

— Exactement, très cher. Écoute maintenant le plus drôle de l'histoire : Postel en personne a fourni son point de départ à ma recherche. Il était en première année de droit quand je faisais l'externat à la Faculté de médecine. Nous étions des camarades. Déjà à l'époque il avait la tête farcie d'idées subversives. Un soir, il me confia que pour lui le comble du malheur ce ne serait pas d'être amputé des deux jambes ou qu'on l'enferme au secret trente ans consécutifs au Fort-Dimanche. Sais-tu quelle était aux yeux de l'étudiant Postel l'extrémité de la détresse ? Être condamné à vendre de menus comestibles ou de la méchante quincaille à la clientèle toujours aux abois de nos bas quartiers. « Je ne me vois pas, disait mon ancien camarade d'université, forcé de débiter, du matin au soir, de la semoule de maïs ou du saindoux. Un de nos modernes Caligula y trouverait le moyen le plus sûr de me détruire à petit feu sans avoir à verser une goutte de mon sang. » Dégotte-moi donc, cher Clo, l'échoppe la plus minable du Portail-Léogâne ou de Tête-Bœuf, et colle de force notre

15

Henri à la place de son propriétaire. Aie soin, avec le doigté qu'on te connaît, qu'il n'y ait plus jamais à ses côtés rien de vivant ni de chaud : ni femmes, ni enfants, ni parents, ni amis, ni partisans, ni le moindre animal domestique !

Quelques heures après cet entretien, le Chef de l'ONEDA exécuta à la perfection le plan arrêté. Il s'amena devant la maison d'Henri Postel avec trois camions écumants de soldats. À Turgeau, cette nuit-là, les gens se ratatinaient d'épouvante dans leur lit, à entendre des hurlements de femmes, d'enfants, de perroquets, de chiens et de chats, copieusement ponctués de rafales de mitraillettes. Le lendemain, Port-au-Prince apprit que la famille Postel, de même que des milliers de militants pos-téliens « avaient été mis hors d'état de nuire ». On révéla également que le chef de la conjuration avait *in extremis* sollicité du Grand Électrificateur des âmes qu'il daigne le laisser paisiblement admi-nistrer une boutique à l'enseigne de « L'arche de Noé ». Le communiqué de l'ONEDA précisa que son « Excellence le Président à Vie, l'Honorable Zoocrate Zacharie, avait aussitôt acquiescé à la requête de son dernier adversaire vivant, pour donner une fois de plus au Grand Pays Zacharien la preuve par neuf de son sentiment de magnani-mité envers les vaincus ».

Il y avait plus d'un lustre qu'Henri Postel, dès la pointe du jour, était debout derrière un comp-toir maculé de graisse de porc et de cadavres de mouches. Il vendait au détail des clous, du sucre, de l'assa-fœtida, du beurre salé, des épices, des cigarettes, du hareng saur, de la ficelle, du rapadou, de la kérosine, de l'huile palma-christi, des bougies et des dizaines d'autres mini-denrées d'usage courant.

L'homme était arrivé à Tête-Bœuf avec un physique d'athlète. Maintenant il avait laidement épaissi au cou, aux épaules, au ventre et aux fesses. Il avait la nuque, le bas du visage et les mains vivement striés de rides. Tout en lui allait à la dérive, sauf ses bras qui conservaient de la force et ses yeux qui paraissaient parfois moins vieillis que le reste de ses traits.

À Tête-Bœuf chacun pouvait avancer un fait qui montrait à quel point l'ex-sénateur dépérissait dans le circuit électro-commercial de l'ONEDA. Ceux qui aimaient Postel et qui avaient cherché à l'aider évitèrent à la longue de faire leurs petits achats à «L'arche de Noé», car chaque fois qu'ils y entraient, ils en repartaient les larmes aux yeux. Il arriva un moment où pour achalander la boutique, la plupart du temps déserte, Barbotog dut déguiser en clients des agents de son ministère. Dès lors, admirateurs et ennemis de Postel estimèrent que sa fin avait commencé.

Le plus proche voisin d'Henri était un cordonnier du nom d'Horace Vermont. Dans les derniers temps, tard le soir, les deux hommes conversaient parfois. Vermont avait aussi sa légende dans le quartier : on disait qu'il était fort instruit et qu'avant d'échouer dans la réparation de souliers bons à jeter, il avait été directeur d'un lycée de province. On le voyait souvent avec un livre à la main et tout le monde l'appelait familièrement maître Horace. Lorsqu'en sa présence quelqu'un parlait d'un nouveau trait de la déchéance de Postel, maître Horace, dont la gentillesse et le flegme étaient aussi notoires que son goût de la lecture, perdait soudain son sang-froid : « Les fils de chienne, disait-il, n'entendront jamais rien à la capacité de résistance du cœur humain. »

Sommé une fois de dire sur quoi, au bout du compte, était fondée sa confiance en Postel, il donna des explications qui accentuèrent encore plus la perplexité de ses auditeurs :

— Depuis le temps que je bavarde avec lui, dit-il, je n'ai rien appris de sa vie que tout un chacun ne sache déjà. Il a beau être sans cesse entre deux tafias, il sait tenir sa langue. Il est plus muet sur ses projets qu'une tombe vide. Qui, parmi vous, ne le serait, à sa place ? D'où vient la foi que j'ai en lui, demandez-vous ? À l'observer de mon coin de cordonnier, j'ai idée que malgré son ventre, ses rides au couteau, ses yeux injectés, son air endormi, cet homme, au fond de sa soûlographie, prépare quelque chose que personne, dans cette ville, ne pourra lui voler. Quoi donc ? En vérité, je ne le sais pas. Peut-être Henri lui-même ignore ce qui se trame dans sa tête…

Quelques jours après ces propos, un mercredi soir, maître Horace qui se démenait avec une empeigne vit entrer Postel dans l'atelier.

18

— Maître Horace, dit-il.

— Quoi, chef?

— Tu as un instant?

— Le temps que tu veux. Tu as fermé tôt aujourd'hui.

— Oui.

— Que se passe-t-il? *clear air (burr off, bare)*

— Ça y est : je décampe. Tu as vu mes clients, hein?

— Les vrais acheteurs sont plutôt rares…

— Ils ont raison de fuir mon comptoir. Depuis cinq ans, au lieu d'un homme de barré, ils ont sous les yeux un Noé qui barbote dans la graisse et le tafia. Rideau, maître Horace, sur le répugnant spectacle! Je pars pour toujours.

— Oh, ne dis pas ça, chef. N'importe qui peut parler comme ça, sauf toi. Si tu repars en exil, ce sera pour reprendre la lutte.

— À toi je dois la vérité : je m'en vais sans esprit de retour.

— L'autre fois tu es bien revenu.

— Tu vois où ça m'a conduit.

— Ton combat au sénat n'a pas été inutile.

— Qu'ai-je fait durant ces deux années-là? Des prédications pour le vent. Pendant ce temps, Zacharie, lui, électrifiait, zombifiait, massacrait à tour de bras. Qui suis-je à cette heure?

— Pas plus tard que dimanche dernier, je disais à ceux qui te prennent en pitié que tu prépares quelque chose que personne dans cette ville ne pourra te voler.

— Oui, nul ne peut me voler mon départ.

— Je pensais à un acte qui t'eût remonté dans l'estime des tiens. J'ai cloué le bec à un tailleur qui s'était écrié : «Regardez ce pays, n'est-il pas sans remède *postel* ?»

— Si ton tailleur entendait avec ça qu'il n'y a rien à espérer d'un homme seul, eh bien oui : ce pays est décidément et sans rémission *postel*. On nous a fabriqué une histoire collective qui s'appelle électrification des âmes. Il ne m'a servi à rien de lui opposer des bulles de savon.

— Je ne voudrais pas être indiscret, chef, mais il y a un point…

— Je t'en prie, vas-y.

— Surveillé comme tu l'es, comment peux-tu quitter le pays ?

— Nos ennemis ne sont ni si forts ni si malins. Je vais filer sous leur nez. Et même, j'ai un petit souvenir à leur laisser en guise d'adieu.

À ces mots, maître Horace se redressa vivement. Son regard exténué et inquiet se rafraîchit de candeur et d'espoir.

— Je savais, dit-il, que tu n'allais pas te débiner comme ça. Peut-être à tes côtés les bras d'un vieux bonhomme de cordonnier…

— Merci pour ton aide. Mais pour ce que j'ai à faire, mes mains suffisent. Je peux encore tenir un coutelas. Oh, ne t'emballe pas. Je ne vais pas descendre Barbotog ou Ange Zacharie. Je tends mes filets plus bas que ça. Tu en auras des nouvelles dès demain. Il y a toutefois un service que tu peux me rendre : au petit jour, quand je serai déjà loin, mets sur la porte de «L'arche de Noé» l'écriteau suivant :

20

« Maintenant, dit Postel, il faut que je me tire. Adieu, vieux frère. »

Il embrassa le cordonnier et, sans le regarder, il sortit de l'atelier. Il était légèrement courbé et titubait dans le soir qui n'arrivait pas à adoucir la ville.

L'homme franchit le passage qui séparait les deux maisons. Il entra dans l'étroite cour en terre battue qui, derrière la boutique, tenait lieu à la fois de patio, cuisine, salle de bains, buanderie, débarras. Mille objets devenus encombrants s'y entassaient dans un fouillis qui faisait l'affaire des rats, des cafards et des lézards. Dans l'obscurité, Postel glissa le bras entre deux vieilles caisses de hareng saur et retira un objet enveloppé dans du papier journal. Il le dissimula aussitôt entre la peau et la chemise. Il alla ensuite vers le robinet, l'ouvrit, laissa couler l'eau sur ses bras nus, puis il s'inclina et dans le creux de ses mains jointes, il but jusqu'à plus soif. Sans pénétrer dans la maison, il ressortit de la cour.

Il évita la rue principale de Tête-Bœuf, populeuse et jacassante. Il s'engagea dans un dédale de corridors qu'il semblait parfaitement connaître. De partout, dans les cours sans clôtures, montait vers lui, pénétrant dans son nez, sa bouche, ses yeux, l'odeur propre au quartier, faite de fritures, de fientes de poules, d'urine, de crotte d'animaux, de latrines pleines, de matières végétales en putré-

faction, de résine de pin qui brûle et de lampe à
kérosine qui charbonne. C'était la senteur des
débuts de soirée. Plus tard, à ce bouquet s'ajoute-
ront la térébenthine, l'encens, l'assa-fœtida, les
infusions de feuilles d'oranger ou de corossolier,
le parfum du gingembre et du petit-baume. Vers
minuit, avec la sueur des couples qui ont fait
l'amour, la brise marine et l'aigreur des adoles-
centes qui dorment les cuisses écartées, cet éven-
tail d'arômes ouvrira à l'odorat un nouveau palier
d'aventures. Postel avait l'habitude de mesurer la
nuit à ses divers relents. Rien qu'à humer l'air, il
savait qu'en ce moment la demie de sept heures
n'avait pas encore sonné au clocher des Sœurs de
la Sagesse.

   Il était bien trop tôt pour ce qu'il avait à réaliser.
Son avance lui permettra de faire un long détour
afin de se dégourdir bras et jambes. Il traversa
plusieurs passages obscurs sur lesquels s'ouvraient
des bouges qui accrochaient à son regard leur
désolante intimité du soir. Il aboutit à un coupe-
gorge derrière le calvaire de Port-au-Prince. Deux
gendarmes gardaient le lieu saint. La semaine
précédente, des inconnus avaient badigeonné de
goudron les pieds, les mains et la tête couronnée
d'épines du Crucifié. Dans les milieux catholiques
on savait d'où venait la profanation. Le nonce
apostolique, Mgr Pascoli, avait eu au téléphone
une vive discussion avec Barbotog. Il avait osé
demander des nouvelles de son secrétaire qui
avait disparu sans laisser de traces. Maintenant
le Christ, après un bain d'alcool camphré, ne res-

22

semblait pas au fils d'un Dieu, mais bien à l'un des
deux hommes qui le protégeaient, à qui on aurait
enlevé l'uniforme kaki, les bottes et les guêtres, le
fusil Springfield, et qu'on aurait hissé, à moitié nu,
sur cette croix.

Tout allait marcher comme il l'avait prévu. Il
en était sûr. Avant minuit, il aura fait ce qu'il avait
décidé de faire. Il l'aura, l'argent de son départ.
Avant l'aube, il sera à l'abri, quelque part dans
l'entrepont ou dans la cale du cargo canadien. Il
avait longuement couvé son projet d'évasion.
Durant ses rencontres avec David Ritson, lors des
précédents mouillages du *Manitoba*, ils l'avaient
poli et perfectionné. Il aura la somme convenue.
Le marin se chargera de son embarquement clan-
destin. Il avait les faux papiers de son entrée au
Canada. Des mois s'étaient écoulés depuis leur
première conversation. Le plan lui avait paru tout
d'abord irréalisable. Il avait dormi dessus, il s'était
soûlé avec, l'avait abandonné et ressaisi à plusieurs reprises. Tout en s'affairant dans la boutique, il avait pesé et soupesé son projet de fuite,
en même temps que les mesures de semoule de
maïs, les quarts de litre d'huile palma-christi, les
demi-livres de sucre roux ou de haricots noirs.
Même quand, ivre mort, il était prostré sur le
lit de fer, alors qu'il était incapable de distinguer la lampe-tempête d'une tempête soufflant
dans la ville au mois d'octobre, «l'opération
Noé 2» (comme il appelait sa fuite), tel l'œil du
cyclone, occupait dans le vide agité de son esprit
une zone de calme absolu, un mini-centre de

basse pression, seule force de sérénité au milieu des égarements éthyliques de son imagination.

Durant cette période, dans l'attente d'un nouveau séjour du *Manitoba*, il s'était torturé sur la question : où trouver le fric du voyage ? David avait parlé de deux mille dollars. Les risques qu'il acceptait de prendre n'étaient pas imaginaires. S'il était pris, du côté canadien, il risquait quelques mois de taule et son expulsion de la marine marchande. S'il tombait dans les filets de l'ONEDA, une fin horrible au Fort-Dimanche. Une attaque contre une banque de la ville ? Récupérer la somme chez l'un des potentats du système ? Chimères, tout ça. Pas question non plus de vendre « L'arche de Noé ». L'échoppe n'était pas à son nom. Un comptable de l'ONEDA, à la fin de chaque mois, passait vérifier les comptes. Les bénéfices allaient grossir des fonds secrets. Pour ses menus frais, il recevait un salaire de petit employé. C'est drôle qu'il n'ait pas d'emblée pensé à Habib Moutamad. Ça faisait pourtant des années que le négociant syrien ravitaillait « L'arche de Noé » en marchandises fraîches. Associé de Barbotog, le commerçant était l'un des hommes les plus détestés de la population. Il avait financé le coup d'État électoral du Grand Électrificateur quand celui-ci n'était que l'insignifiant docteur Zacharie. Par le comptable, il connaissait les habitudes du marchand levantin. Contrairement aux autres gros commerçants du Bord-de-Mer qui, chaque fin d'après-midi, baissaient les rideaux de fer de leurs établissements et rega-

24

gnaient en voiture leurs villas climatisées des
hautes collines, Moutamad, lui, vivait à l'étage du
Schéhérazade, son florissant bazar d'alimentation.
Moutamad avait sa fortune dans une banque
de Lausanne, mais pour ses opérations courantes,
il gardait chez lui de fortes sommes. Le comptable s'était moqué de cette excentricité du négociant. Il avait dit que «si Habib n'était pas un
électrificateur à tous crins, il y a longtemps que
Barbotog l'aurait guéri de la manie de garder des
milliers de dollars parmi ses chaussettes et ses
mouchoirs...».

Il n'avait pas eu de difficulté à entrer directe-
ment en contact avec Moutamad. Il avait profité
pour ça d'un séjour à l'étranger du comptable qui
jusque-là avait servi d'intermédiaire entre eux. La
première fois Moutamad l'avait reçu glacialement.
Jouant au plus malin, il avait cherché où vibrait la
corde sensible du commerçant : «Monsieur Moutamad, il avait dit, le bruit court que vous êtes à la
veille de recevoir le portefeuille du Commerce,
est-ce vrai ? » Ces paroles avaient rompu la glace.
La grosse face chevaline de Moutamad avait rougi.
Tout en caressant ses cheveux ramenés d'un côté
de l'autre de son crâne, l'homme avait dit :

— Vous voici mieux informé que moi, Postel.
D'où tenez-vous la nouvelle ?

— Plusieurs personnes, il avait dit, ont parlé
de vous comme d'un prochain ministre. Dans ce
pays, il n'y a jamais de fumée sans feu... Mes féli-
citations, Monsieur le Ministre !

— Merci, Monsieur Postel, avait dit Moutamad

avec tout l'or de ses dents. De la vieille garde de l'onédo-zacharisme intégral je suis le seul à n'avoir pas exercé jusqu'ici de fonction ministérielle. Mon heure arrive enfin.

À sa seconde visite, il était arrivé au *Schéhérazade* au moment de la fermeture. Moutamad l'avait invité à boire un coup à l'étage au-dessus. Il avait bu du whisky-soda glacé et avait étudié les lieux. Il avait appris que Moutamad ne sortait presque jamais, recevait rarement. Après le dîner que lui préparait une vieille cuisinière, quand il n'avait pas le nez dans ses comptes, il passait ses soirées à écouter de la musique moderne ; il se couchait et se levait toujours avec les coqs. Une fois par an, il sautait dans l'avion de New York où il rencontrait ses deux enfants : sa fille qui étudiait la médecine et son fils qui était inscrit à une grande école commerciale. Resté veuf à 53 ans, il ne s'était pas remarié. De temps à autre, il faisait une pointe à Beyrouth, « cité heureuse, disait-il, où il trouvait son plaisir dans des nuits, monsieur Postel, qui sont là-bas des nuits de pacha pour un mâle arabe qui a de l'argent et du sang encore vif à brûler entre deux draps frais de l'Hilton-Palace ». Tout en écoutant ces confidences, sans s'empêtrer de débats métaphysiques, il avait décidé de trucider Moutamad à coups de rasoir. Il fallait maintenant laisser Shariar terminer son dîner, renvoyer la cuisinière, et mettre son premier disque pop de la soirée d'octobre…

Henri Postel déboucha sur la place. De là au *Schéhérazade* il en avait pour une vingtaine de minutes. Il longea la rue Capois, et coupa transversalement l'aile nord de la place, vers l'avenue de l'Hôpital-Général. Il vit un attroupement devant la Tribune, sur la pelouse où ont lieu d'habitude les revues militaires. Des curieux formaient un cercle animé autour de quelque chose. À s'approcher, il reconnut, allongé sur le gazon, un immense tronc d'arbre. C'était un futur mât de cocagne. Ça faisait des années qu'il n'avait pas assisté à un tournoi de ce genre. Autrefois, le mât de cocagne était, avec le carnaval, la fête qui attirait le plus de monde. À quoi pouvait répondre un tel spectacle en temps d'électrification des âmes ? La population avait perdu le goût de la liesse collective. Même le carnaval, si bien ancré dans les mœurs, n'avait plus son éclat de jadis. Le mardi gras était permanent : tous ses masques étaient à l'effigie du Grand Électrificateur…

Dans son enfance, les hommes qui participaient au mât suiffé étaient le plus souvent des individus de sac et de corde. Ils pouvaient grimper sur n'importe quoi : un mur élevé, un pylône, une palissade, un palmier, un échafaudage, un balcon ou un moulin à vent. Celui qui parvenait au sommet du mât et en emportait les trophées était immanquablement arrêté et enfermé en prison. On le tenait légalement pour un homme dangereux, même s'il prouvait qu'il n'avait grimpé jusque-là que sur d'innocents cocotiers. Rien à faire : un champion du mât suiffé choisissait d'emblée un

27

avenir de malfaiteur. Malgré ça, chaque année, des hommes venaient spontanément éprouver leur adresse et leur courage au pied de « ce sinistre arbre, sans foi ni loi, sans entrailles, sans feuillages ni chants d'oiseau ; ce qu'il y a, en matière de poteau ou de colonne, de plus près du gibet ou de la croix » comme un chroniqueur de province avait une fois défini le mât de cocagne. De toujours il avait été une compétition pour les bras aux abois des délinquants, des vagabonds, du gros gibier de pénitencier. Dans l'ancienne Rome, les jeux de cirque mettaient les gladiateurs aux prises avec des bêtes féroces. Le mât de cocagne ne serait-il pas une sorte de dégradation moderne de ces cruels divertissements publics ? La foule zacharienne, au lieu de venir voir des tigres et des lions dépecer des chrétiens vivants, courait regarder comment un arbre qui a perdu son innocence végétale, sa sève et sa chanson, devenait un monstre chauve et gluant, qui, sans un mouvement, dévorait et digérait l'insolence et la force de ceux qui aspiraient à le vaincre.

Le mât que Postel venait de voir, couché sur le gazon, au repos, encore inachevé, paraissait déjà un extravagant animal marin, sans mufle ni cornes, ni scies et ni griffes pour le sacrifice de ses victimes. Au fait, pourquoi un mât de cocagne, ces jours-ci ? Il y a dans la ville un cirque ouvert toute l'année, avec des numéros où se distinguent toute sorte d'animaux de proie. Dans quelques instants, il y aura dans la ville un loup de moins. Postel sentit le dos du rasoir contre le haut de sa cuisse gauche. Il frappera Habib Moutamad en plein cou, d'un geste sec et précis. Est-ce qu'il serait capable de grimper sur un mât de cocagne? À quinze ans, il montait à la cime des plus hauts cocotiers. De même il allait cueillir le chou du palmier royal. Il avait appris des paysans de Cap-Rouge la meilleure technique de montée. Parmi ses camarades citadins, il était alors le seul à pouvoir le faire. Une tout autre affaire de grimper le long d'un poteau enduit de suif. «Un acte qui t'eût remonté dans l'estime des tiens», avait dit maître Horace. Le cordonnier l'invitait-il à se battre avec un mât suiffé? Ça alors. Pour une idée saugrenue, c'en était une. Dans les derniers temps, c'est fou comme des bizarreries lui traversent l'esprit...

Il vit l'enseigne du *Schéhérazade*: le néon d'une sultane de bazar s'allumait et s'éteignait par intermittence. Postel pressa sur le bouton de la sonnette. Moutamad parut aussitôt sur le balcon.

— Qui est-ce?

— Moi, Postel.

— Qui donc?

— Henri Postel, monsieur Moutamad.

— Ah, vous, monsieur Postel, quel bon vent vous amène? Un instant, je descends.

Il suivit le négociant dans l'étroit escalier qui conduisait à l'étage. Il entra derrière lui dans la pièce de séjour, haute de plafond, agréablement éclairée.

— Je m'excuse de vous déranger si tard, dit Postel, en prenant place dans un fauteuil.

— Pas du tout, mon cher. Qu'est-ce qui ne va pas?

— Il ne reste pas une goutte de tafia dans nos barriques. Il faut renouveler mon dépôt demain à la première heure. Qu'est-ce qui arrive aux Tête-Bœufiens, ils se soûlent, ces jours-ci, plus qu'à l'ordinaire?

— En effet, cinq barriques, 1 500 litres de tafia, en moins de quinze jours, un record! Vous ne les avez pas aidés un peu, hein, sacré Noé! dit Moutamad, en riant.

— Bien sûr, dit Postel, j'y suis allé de mes trois litres quotidiens. Je plaisante, monsieur Moutamad; vous ne me croirez pas si je vous dis que je maronne les vignes du Seigneur…

maraud

— Vous ferez quand même honneur à mon whisky, n'est-ce pas?

— Juste un doigt, sans soda ni glace, sec-sec. (Comme le coup de rasoir qui t'attend, salaud d'électrificateur d'âme, pensa-t-il.)

Moutamad se dirigea vers un petit bar situé dans un angle de la pièce et sortit une bouteille non entamée de «Something Spécial De Luxe».

— Ce scotch est un cadeau d'anniversaire. Savez-vous de qui? Clovis Barbotog. L'ex-sénateur Henri Postel boit en compagnie d'Habib Moutamad un whisky qui vient de l'ONEDA! Votre pays, mon cher, est vraiment fantastique!

— Fan-tas-tique, vous l'avez dit, enchaîna Postel, littéralement fasciné par le cou nu et boudiné de Moutamad.

L'homme remplit la moitié d'un verre pour

son visiteur et se dirigea vers le réfrigérateur chercher de la glace pour son whisky à lui.

— Savez-vous, sénat, vous avez eu raison, la fois dernière, de voir en moi un prochain ministre. Hier soir, de la bouche même du président Zacharie, j'ai appris qu'il y aura sous peu un remaniement ministériel. La façon dont le Chef-Spirituel-à-Vie m'a regardé me fait croire que, cette fois, j'aurai tout le commerce dans les poches.

— L'événement est à arroser, dit Postel, sans cesser de fixer passionnément la somptueuse pomme d'Adam du commerçant.

Il se leva. Moutamad crut qu'il voulait l'aider et lui dit :

— Restez assis, sénat. Ne vous dérangez pas. Dès mon entrée au gouvernement, j'obtiendrai du président un adoucissement de votre sort. Au lieu de Tête-Bœuf, vous aurez un poste de commis principal dans un vrai magasin. Peut-être ici même, au *Schéhérazade*, pourquoi pas ? En une deuxième étape, un consulat bien pépère en Europe, dans une ville suisse. Le bord du lac Léman, ça vous retape un homme. Le président Zacharie, vous savez, n'est pas le vampire que ses ennemis ont dépeint au monde. Un Henri Postel devrait lui apporter son concours. Qu'en pensez-vous, sénat ?

— C'est à moi que vous dites ça ?

Le négociant ouvrit des yeux de stupeur devant le rasoir que l'homme venait d'ouvrir.

— Qu'est-ce qui vous arrive ? dit-il.

— Écoutez, Moutamad, j'ai besoin de trois mille dollars. Par la même occasion, je...

Moutamad jeta sur la table le verre, le seau à glace qu'il avait dans les mains.

— Voyons, dit-il, à quoi bon un ra, ra, rasoir pour une si petite somme ? Tenez, je les ai dans la pièce à côté, suivez-moi...

Postel accompagna Moutamad dans la chambre. Le marchand ouvrit le tiroir d'une commode. Sous un tas de chemises, il tira une énorme liasse de billets neufs.

— Voici deux mille, dit-il.

Il ouvrit un second tiroir d'où il fit émerger d'autres paquets de dollars. Il était surexcité, le front et le cou mouillés de sueur. Tout en cherchant, il jetait des regards implorants vers Postel qui n'avait pas lâché son arme.

— Peut-être, balbutia Moutamad, vous faut-il aussi quelques bijoux ?

Il libéra aussitôt d'un autre meuble, en vrac, des bracelets, des colliers, des bagues, une montre et un énorme briquet de table en or massif, et d'autres menus objets de grande valeur.

— Je vais vous faire un paquet de tout ça, dit Moutamad.

Il revint dans la salle à manger, suivi de Postel. Il disposa sur la table les bijoux et l'argent. Il était pâle, sa bouche tremblait et ses jambes le portaient à peine. Postel était debout du même côté de la table, prêt à frapper.

— Je, je, ne vous aurais pas cru, ça, capable de ça, vous un hom, homme de cul, culture a, avec un ra, ra, rasoir à la main !

— Bien sûr, dit Postel, les mouches, la poussière, les mauvaises odeurs, le bruit de cinq ans de Tête-Bœuf m'ont coupé de toute action d'homme, n'est-ce pas?

Moutamad se jeta à genoux aux pieds de Postel, les mains jointes à la hauteur de son visage congestionné de frayeur :

— Je ne suis pour rien, moi, dans leur histoire d'électrification d'âmes. Je n'ai jamais été méchant envers vous, monsieur le sénateur !

— Qui, en 1957 a versé cent mille dollars à la « caisse électorale » du Dr Zoocrate Zacharie ? Qui a recruté pour lui des partisans dans la colonie libano-syrienne ? Plus tard, qui l'a introduit auprès de la maffia pour des achats d'armes, en contrebande ? Qui a servi d'intermédiaire entre des gangsters et Clovis Barbotog pour couvrir le pays d'un réseau de casinos et de maisons de prostitution ? Qui a eu l'idée de céder à bail pour 99 ans l'île de la Tortue ? Attendez, Moutamad, je n'ai pas fini. Qui est membre du conseil d'administration de la ZAAMCO, la banque qui exporte du sang d'homme à trois dollars le litre ? Enfin, qui, il y a un instant, a avoué qu'il est sur le point de mettre dans ses poches tout le commerce de ce pays ?

Moutamad, toujours agenouillé sur le tapis, se mit à pleurer :

— Oui, je suis un salaud, c'est vrai. Mais je suis prêt à vous aider à partir.

— Partir ? Pourquoi suis-je ici ? Pour le plaisir de voir couler du sang de rat ? Je pars, Moutamad, oui, Noé va maronner tout ce déluge de sang. Levez-vous, frapper un homme à genoux, ça me dégoûte !

L'homme fit un effort pour se lever. Ses membres ne lui obéissaient plus. Il s'effondra sur ses grosses fesses, les yeux larmoyants, le visage luisant de sueur et d'épouvante.

— Vous faites bien de partir, dit-il. Vous avez vu : malgré tous vos sacrifices, personne ne vous a suivi. On vous a abandonné au tafia et aux mouches. Je vous aide à quitter ce trou maudit. Tenez, je vous signe un chèque de… cinquante mille dollars !

Moutamad rampa jusqu'à sa veste suspendue au dossier d'une chaise et sortit son carnet de chèques. Il se mit à chercher de quoi écrire, se trompa plusieurs fois de poche, s'empêtra dans son embarras. Postel, au même moment, de sa main libre, balaya soudain la table et éparpilla l'argent et les bijoux. Il plia le rasoir et l'envoya également au diable.

— Je ne pars plus, dit-il.

Moutamad, sans bouger de sa place, leva vers Postel des yeux hallucinés.

— Levez-vous, dit Postel.

L'homme s'accrocha à un pied de la table, se raidit, s'assura encore que Postel avait un air tout à fait inoffensif et avança à quatre pattes vers un fauteuil.

— Savez-vous pourquoi je reste ? Tout à l'heure, j'ai vu les préparatifs du prochain mât de cocagne. Je vais y participer. Ça vous coupe le souffle, hein ?

34

Moutamad, affalé sur son siège, les yeux hébé-
tés, fixait Postel, comme s'il était en face d'un danger encore plus grand que celui du rasoir.

— Sénat, balbutia-t-il, que dites-vous là? J'ai la
tête qui tourne. Qu'est-ce qu'un homme comme
vous va chercher sur un mât de cocagne?

— Promettez-moi, dit Postel, de vous taire sur
ce qui s'est passé. Au moins pendant les trois
jours du tournoi : après, tout me sera égal.

— Oui, dit le commerçant, pas un mot, à personne. Ni demain, dans un mois ou mille ans!

Moutamad se remit à pleurer, couvrant Postel
d'un regard lubrifiant de gratitude. Il s'inclina
même pour essayer de prendre les mains de l'ex-
sénateur dans les siennes.

— Bas les pattes! dit Postel. Vos salamalecs
de bonne femme me répugnent. Votre pomme
d'Adam est à sa place parce que je sens que j'ai
mieux à faire dans cette ville que de décamper
après avoir pillé et saigné un trafiquant isolé.
Vous allez voir ce qu'un zombie peut tenter pour
recouvrer l'estime de sa patrie. Ah, je lis dans vos
yeux que je suis devenu fou! «Venu pour m'assassiner au rasoir, il a perdu ses facultés déjà
ébranlées par cinq années de Tête-Bœuf! Il est
cinglé, maboul, bon pour l'asile des fous.» C'est
ça, hein, avouez-le, que vous pensez? Vous vous
trompez, Moutamad! Vous serez toujours en
retard d'un Henri Postel!

Il fit un pas vers Moutamad, le saisit au collet et
le souleva du fauteuil :

— Tenez : vous qui avez de la santé à revendre,

35

essayez de me battre à la main de fer ! Essayez de me plier l'avant-bras !

Il traîna Moutamad vers la table.

— Qu'attendez-vous, si vous le pouvez, pour aplatir ce bras contre le bois de votre table ?

Moutamad était gêné, il ne savait quel parti prendre, face à Postel qui avait le coude en appui sur la table, la main droite aux doigts écartés, dans l'état d'alerte de celui qui va se battre à la force du poignet.

— Autrefois, dit Moutamad, dans mon village j'étais connu pour mon habileté à ce jeu. Des gars deux fois plus forts que moi s'y faisaient vaincre. On m'appelait « le calife à la poigne d'or ! ».

— Bravo, dit Postel, faites voir que vous avez de l'or jusque dans les bras ! Allez-y, jouons loyalement.

Moutamad mit sa main dans la main de Postel. Ils plantèrent solidement leurs coudes sur la table et commencèrent lentement leur poussée réciproque, les deux avant-bras dressés à peu près à la même hauteur. En un instant Moutamad devint plus rouge qu'une betterave dans l'eau bouillante. Mais il ne céda pas à la pression de Postel dont les yeux injectés n'arrêtaient pas de le fixer. Les deux hommes tremblaient sous leur effort. Au bout de quelques minutes, il parut à Moutamad que, sous son empoigne, Postel commençait à vaciller. Moutamad s'enhardissait, tout en pensant rapidement qu'il n'avait peut-être pas intérêt à gagner la partie. Il lui passa comme un éclair dans la tête que si Postel l'emporte, il s'accrochera encore plus à sa folle idée du mât suiffé, tandis que s'il perdait... Il cessa de penser : il revivait ses lointaines années libanaises, quand ni l'émigration ni la rage de faire fortune sur une terre lointaine n'habitaient encore son esprit. Sa jeunesse pauvre lui remontait dans le sang avec vigueur.

Les deux hommes étaient au sommet de leur poussée. S'il y avait un arbitre dans la pièce, il eût peut-être estimé qu'ils étaient de force égale, et qu'aussi bien l'un que l'autre avait des chances de gagner. Postel, quoique essoufflé, tendu de tout son être, sentait qu'il pourrait longtemps encore contrer la pression de Moutamad et même vaincre celui-ci à l'endurance.

— Ça suffit, dit-il, tout à coup, en enlevant sa main de celle du marchand. Vous avez vu : ces bras peuvent encore travailler. Ce ne sont pas des filaments de méduse. J'ai de la poigne pour un mât suiffé !

— Et comment ! dit Moutamad. Buvons à votre victoire sur le mât.

— Excusez-moi, dit Postel, je préférerais un verre d'eau fraîche.

— Allons, une goutte de whisky ne vous fera aucun mal. Trinquons !

— Bon, si vous y tenez, je veux bien.

Ils choquèrent leurs verres.

— À votre triomphe, dit Moutamad, l'air sincère.

— Merci, dit Postel. Il faut que je file. Vous avez l'heure ? Déjà onze heures ! Au revoir. Rendez-vous au sommet du mât !

— Au sommet du mât ! reprit Moutamad, tout en raccompagnant à la porte son visiteur du soir.

Une fois dans la rue, Postel se mit à marcher très vite en direction du port. Dans la nuit muette, il ne percevait que des frôlements de chats, des affairements silencieux de chiens, des grignotements subtils de rats. À l'horloge de l'Hôtel de Ville, il vit qu'il était onze heures dix, Ritson l'attendait depuis dix heures et demie. Il franchit au galop les derniers cent mètres qui le séparaient de l'endroit de leur rencontre. Il découvrit au loin l'homme. Ritson l'aperçut aussi et courut vers lui.

— Je pensais ne plus jamais te revoir. Ça a mal tourné ?

— Un moment, dit Postel, laisse-moi reprendre souffle. Je suis venu au pas de course.

— Tout a bien marché pour moi, dit Ritson. J'ai acheté les deux gardes du poste. Côté canadien, c'est encore mieux : l'homme de quart sur le pont en ce moment est un pote. On a de la veine. As-tu le pognon ?

— Je l'ai eu sous les yeux : des liasses de billets neufs, des tas de bijoux et, tombé du ciel libanais, un chèque de cinquante mille dollars. À la seule vue du rasoir le Moutamad s'est dégonflé. C'eût été aussi simple que d'écraser une mouche. Mais voilà : au dernier moment, j'ai tout laissé tomber…

— Qu'est-ce que tu racontes là ? Tu es timbré, non ?

— Fais un effort pour comprendre, David !

38

— Pourquoi ce suicide ?

— Écoute-moi au moins avant de parler de folie et de suicide.

— Une misérable histoire de fesses, je suppose !

— Ah les marins ! vous mettez des fesses à tous les horizons ! Ce n'est pas ça. Il y aura un tournoi de mât de cocagne dans les jours qui viennent. J'ai décidé d'y prendre part.

— Nom de dieu de nom de dieu ! Et tu dis que tu n'es pas sonné ? Tu restes rien que pour voir de pauvres bougres grimper sur un cochon de poteau enduit de merde ?

— Je ne serai pas un spectateur, David. Sinon l'un des pauvres bougres de l'épreuve !

Ritson sortit vivement son briquet et l'approcha du visage de Postel pour examiner ses traits :

— On n'a pas idée, dit-il, de devenir dingue juste à la fin de ses malheurs, cher vieux copain ; et il entoura affectueusement de ses bras les épaules de l'ex-sénateur.

Postel se dégagea de l'étreinte de l'homme.

— Je n'ai pas besoin de ta pitié. Je suis ici pour te remercier. Tu as pris des risques pour moi. Je ne suis pas un Raskolnikov à peau noire. Les Moutamad, plus que n'importe quelle vieille usurière de la terre, méritent qu'on leur sectionne la carotide !

— Bordel de dieu ! qu'ont-ils les onédo-zachariens pour te retenir dans leur saloperie de république ?

— Ça s'est jeté sur moi au moment où Mouta-

39

mad, terrorisé à mes pieds, énumérait les avantages que j'aurais à foutre le camp. Il fallait voir comme il m'y poussait !

— C'est pour ça que tu restes ?

— Dans l'après-midi, un cordonnier que j'aime m'a avoué qu'on attend autre chose de moi qu'un exil sans lendemain.

— La montée du mât, n'est-ce pas ?

— Ça peut ouvrir les yeux de mes compatriotes.

— De la foutaise, tout ça !

— Inutile de chercher à démêler ce qui m'arrive. Je ne m'en irai plus d'ici. Ce mât est le seul chemin qui reste devant moi.

— Tu sais une chose, Henri ? Depuis le temps que je roule ma bosse, j'ai vu bien des cinglés et des cons, mais un spécimen de ton tonnage...

— Je ne te permets pas...

— Laisse-moi rigoler. Monsieur Postel joue les durs ! Dis-moi, depuis combien de temps ne t'es-tu pas regardé dans une glace, hein ? N'importe quel bout de miroir te dira que tu n'as rien d'un champion. Pas même pour grimper sur le dos d'une putain de mât de cocagne ! Est-ce avec ce physique de petit épicier en brindezingue que tu vas brasser tes concurrents ?

— Tes insultes me font mal...

— Crois-tu que tes zombies de compatriotes vont déchiffrer la parabole à la noix de coco que tu mets dans ton histoire de tronc d'arbre ? Tu vas être l'idiot de ce gros bourg torride et poussiéreux ! Ton fiel de vieux cinglé éclatera sous les huées de la populace. Et ce Moutamad, il ne va pas oublier le sale moment que tu lui as fait passer.

— Il m'a promis de ne pas en parler.

— Tu as foi dans la parole d'un truand ? Nom de dieu de nom de dieu, est-y possible qu'on soit à ce point con ? Après tout, c'est ton affaire. Tes emmerdements de quart monde te regardent ! À moi le pognon de ce Moutamad ! Conduis-moi chez lui. Tu vas voir comment on traite un fils de pute de trafiquant de sang frais !

— Non, David, ça ne servira à rien. Laissons tomber.

— Ah ! Tu veux me gagner à ta volte-face mystique ? Si encore tu restais pour nettoyer l'île de sa tribu de vampires, mais pour un cochon d'épreuve de mât de cocagne, voilà qui dépasse ma jugeote.

— Qui te dit que mon action ne réveillera pas ce pays !

— Nous voici en pleine magie. Je te croyais guéri du vaudou. Aucun spectacle n'a jamais libéré des esclaves. Ce n'est pas en arrivant le premier au sommet d'une putain ensuiffée de mât que tu seras un modèle pour tes frères.

— Non, David, je n'ai pas une conception magique de la lutte pour la liberté. On n'a pas à aller loin de nos côtes pour voir ce qui fait pousser les hommes.

— Tu essaies de refiler un vaccin à tes frères endormis.

— Je veux simplement donner à voir à cette moitié d'île qu'elle n'a plus comme chemin qu'une dure montée.

— Qu'est-ce que c'est que ce charabia ? Ça pue
à cent yards les faux prophètes. Regarde dans quel
état tes Noirs ont aidé des Blancs à jeter ton pays.
Et à quoi tu penses pendant ce temps ? À te bar-
bouiller de suif folklorique ! À faire le clown vertical dans le vieux cirque animiste de tes ancêtres !
Tu me fais chier, tu entends, toi et ta race de grimpeurs de cocotiers messianiques, vous me faites
tous chier !

— Tu passes les bornes. Une affaire peu recom-
mandable nous a rapprochés : assassiner et voler
pour gagner une planque au Canada. Mais, vois-
tu, à cette aventure égoïste, je préfère l'épreuve de
ce mât.

— Ah ! Monsieur le Sénateur veut garder les
mains pures ! Il veut faire la révolution-à-gants-
blancs ! Par la faute d'un ruffian canadien, il a
failli se salir à jamais dans le sang et le fric d'un
de ses compatriotes d'occasion. Oh, je ne sais ce
qui me retient de te donner une dérouillée de
marin ?

— Essaye donc un peu, dit Postel. J'ai besoin de
me dégourdir les bras. Autant commencer tout
de suite. Tu auras peut-être des surprises !

— Écoute, je ne me battrai pas avec toi, Henri.
À force de gérer « L'arche de Noé », tu as sombré
dans le magma biblique ! Pendant ce temps, cinquante mille dollars nous filent entre les doigts.
Monsieur le sénateur trouve son chemin de
Damas sur un mât de cocagne ! Non vraiment, je
ne sais pas ce qui retient mes poings…

Suffoquant dans la vapeur de ses paroles, Ritson brandit soudain ses énormes poings au-dessus de Postel. Mais au lieu de le frapper, il finit par sangloter, en répétant rageusement, comme un garçon perdu : « Merde, merde, merde ! »

— Adieu, David, dit Postel, sur un ton affectueux.

— Va au diable sur ton salaud de mât de cocagne, espèce de vieux con mystique !

Et l'homme tourna les talons vers son bateau endormi dans la baie.

Le marin parti, Postel hésita un instant sur le parcours à suivre. Fallait-il rentrer à Tête-Bœuf ? Il décida de repasser sur la place voir où en étaient les choses. Il retraversa le quartier commercial. La nuit était désolée, sourde et muette. Les étoiles d'octobre ne peuplaient ni n'animaient rien dans le désert nocturne. L'ONEDA ne se donnait plus la peine de remplir de fantômes omniprésents le misérable repos de la ville. Postel atteignit la place de nouveau par le côté nord. Il n'y avait plus personne autour du mât toujours allongé. Un chien fit son apparition en même temps que lui. Il renifla à distance, avec méfiance, ce qu'il tenait visiblement pour la carcasse d'un monstre inconnu des chiens.

Les installateurs avaient laissé leurs outils de travail : pics, pelles, chariots, truelles pour les enduits, et les matières grasses qui allaient servir à caparaçonner cérémonieusement l'arbre tué : boîtes de suif, caisses de savon, bidons d'il ne savait quoi d'autre. Plus loin, il reconnut, dans une masse d'objets protégés par une bâche des drapeaux, des oriflammes, des banderoles avec des inscriptions et d'énormes portraits du tyran. Il tira l'un de la pile et cracha dessus, puis il pissa dessus. «Quoique je ne croie pas à son existence, songea Postel, s'il existe quelque part un Rédempteur, il sera content que quelqu'un, ne serait-ce qu'en effigie, ait rendu au régime de Zacharie ses outrages du Calvaire.» Le chien, aussitôt que Postel eut fini, se mit à agiter la queue et, le museau frémissant, il se précipita sur le portrait souillé du Grand Électrificateur des Âmes!

Postel se remit en marche vers sa maison. Il pensait à ce qui allait se passer jusqu'à l'ouverture des jeux. On était à l'aube du jeudi. Ils commenceront le vendredi après-midi 21 octobre pour finir au début de la soirée du dimanche 23 octobre au plus tard. La journée du jeudi servira à planter le mât, à décorer la place des Héros, à parler du tournoi à la radio, à la télévision et dans les journaux. Comme il ne lisait presque jamais la presse de l'ONEDA et n'écoutait plus sa radio, il ne savait pas si cette propagande avait déjà commencé ou non. Le spectacle sera sans doute télévisé. Ce sera la première fois que des monteurs de mât suiffé apparaîtront sur un écran de télévision. Sans doute le gouvernement au complet prendra place sur *La Tribune* pour le voir travailler à son *salut*. Sa pensée pue tout ce qu'il a fui comme la peste depuis la fin de son adolescence. Intégrer sa vie à la pâte de son action. Le bras de fer avec Moutamad lui a fait du bien. Il n'a eu aucun dégoût à serrer la poigne du truand. Ça avait quand même l'air d'une chaude main humaine. Il doit y avoir des Justes, merde, aux mains froides et molles, et des malfaiteurs avec de bonnes mains à l'étreinte brûlante et décidée. De telles pensées ne t'aideront pas à monter. Ce que tu as de mieux à faire : retrouver l'innocence des compétitions sportives de ta jeunesse. Pas même une semaine devant lui pour brûler la graisse de son corps. Les bras au moins sont restés frais. Il avait eu longtemps l'orgueil de ses bras et aussi de ses mollets. Ces années de sport vont maintenant l'aider. Le bruit, la poussière, les mouches, le tafia à portée des lèvres, la chaleur, la saleté, ont eu raison de ses années de création. Maintenant il va falloir monter avec l'homme qu'on a fait de toi. Bien sûr, que tu gagnes ou perdes, il n'y aura pas de convocation urgente du Conseil de Sécurité de l'ONU pour l'examen de ton affaire. Pas de chapitre intitulé : *La crise de Tête-Bœuf,* dans quelque manuel d'histoire. Ton mât peut être tout, sauf le nombril du monde ou le moyeu de son destin. Ton mât n'est pas l'un des points chauds de leur guerre froide. Il n'est pas non plus tu ne sais quel pont fameux où un homme seul devait contenir toute une armée ennemie. Pas un défilé où une poignée de nègres essayent d'arrêter l'avance des Perses du siècle ! Rien qu'une putain de mât ensorcelé ! Si seulement tu avais un peu de temps devant toi. Si ce que tu vas faire a plus d'un sens, l'imagination de la ville sera bien à même de le déchiffrer. Ton rôle est seulement de grimper. Tu n'es pas chargé de tracer quelque allégorie dans le ciel de ta ville ni de jouer à un nouveau Postel pour des milliers de spectateurs. Pas un spectacle ta chienne de vie. Tu n'es pas un acquéreur de mérites solitaires ni un de ces intellectuels qui, impuissants à se situer dans la foule, barbotent sans fin dans les symboles et les fables de la conscience morale. Tu vas travailler pour tes nègres, avec eux. Sont-ils si abrutis que Ritson le croit? Si tu pouvais te taire durant ces jours. Pas une pensée ni un mot de trop. Toujours à penser à rêver à parler à l'excès. Tas de paroles et de pensées en l'air qui ont traqué ta vie.

À lever la tête, il vit qu'il était à quelques mètres de sa maison de Tête-Bœuf. Il avait parcouru le chemin du retour guidé par son seul instinct des lieux. Le quartier avait son odeur de petit avant-jour : la boulangerie Saint-Joseph, les ânes en sueur qui amènent humblement les marchandes en ville avec les senteurs joyeuses de la campagne : lait frais, légumes, fruits, régimes de bananes, et l'arôme du premier café qu'on coule dans le voisinage.

L'aube avançait, masquée, vers les bruits, la poussière, les mouches, les rats diurnes, la réverbération aveuglante d'octobre, l'électrification minablement animale, dégradante, hagarde, qui rouvrait les milliers de petites blessures mortelles du jour.

Il avait déjà la clef dans la serrure de sa porte quand il vit chez maître Horace un filet de lumière dans la cloison. Il hésita, puis se décida à aller frapper à la fenêtre du cordonnier.

— Qui est là ?

— Henri.

— Henri Postel ?

— Oui.

Aussitôt le visage ébaubi du cordonnier s'encadra à la fenêtre.

— Tu n'as pas pu partir, chef ?

— J'ai changé d'avis. Je ne pars plus.

— Quelle bonne nouvelle ! Tu sais, je n'ai pas fermé l'œil de la nuit. À l'instant même, j'avais ton départ à l'esprit. Ça n'a donc pas marché ? Entre donc, sénat, je viens de couler le café.

Postel enjamba la clôture du maigre jardin et, par une porte de derrière, il pénétra chez le cordonnier. Maître Horace était en caleçon, le torse couvert d'un vieux tricot rapiécé, le visage défait, le front d'un noir cireux, les joues creuses, l'air d'un Sancho Pança du sous-développement qui reçoit son Don Quichotte, au petit matin d'une incertaine campagne.

— Tu as l'air fourbu, dit maître Horace, fixant les yeux sur l'ex-sénateur, à la lumière pâlissante du quinquet.

— J'ai été debout depuis le moment où je t'ai quitté hier.

— Et ton départ ?

— Ça a marché comme prévu. Je devais m'embarquer clandestinement à bord d'un cargo canadien. J'ai changé d'idée. Je vais participer au prochain tournoi de mât suiffé.

— Miséricorde! Chef, ne fais pas ça, pars! Quand j'ai parlé d'action, j'avais tout autre chose en tête. Le mât de cocagne n'est pas une affaire pour un homme comme toi.

— Toi aussi tu doutes de mes forces?

— Grimper sur un cadavre d'arbre en compagnie des mauvais larrons de la ville, pour quoi faire? Pars, je te supplie, chef. Il vaut mieux ne plus jamais te revoir que d'assister, les bras coupés, à ta perte dans une aventure de mât suiffé.

— C'est décidé, je reste. Ce mât est mon point de non-retour. Plus tard dans la journée, nous aborderons, si tu le veux, quelques aspects pratiques de l'opération. Pour l'instant, je suis mort de fatigue. Toi aussi, tu as sommeil. À tout à l'heure, maître Horace.

— À tes ordres, chef!

Postel entra dans son « arche », se fit de fraîches ablutions au visage, aux bras et aux mains, enleva son pantalon et sa chemise, et s'allongea à plat ventre sur le lit de camp. Il s'endormit aussitôt profondément. Il se réveilla huit heures plus tard. Il se sentait bien. Il se doucha sous le robinet, mit des vêtements propres, se prépara un léger repas, et sortit dans la lumière de midi. Maître Horace, levé bien avant lui, guettait sa sortie. Le cordonnier avait un journal à la main.

— Il y est question du mât suiffé, dit-il. Les participants au tournoi ont jusqu'à quatre heures pour s'inscrire au siège de l'ONEDA.

— Pas au quartier général de la police ?

— Non, chef, c'est l'ONEDA qui organise le tournoi, c'est-à-dire Barbotog.

— Je vais de ce pas m'inscrire.

— Tu y tiens toujours !

— Il n'y a plus que ce chemin devant moi. Je me sauve, vieux. On se voit plus tard.

— Bonne chance, chef !

— Merci, cher ami.

Postel descendit le perron et prit la rue principale de Tête-Bœuf. Il longea les galeries qui tenaient lieu de trottoirs, s'abritant à la fois du soleil et de l'agitation hagarde du quartier. La chaleur, à cette heure, montait de l'asphalte en flots accablants. L'air était pâle de poussière, d'ennui et de peur. Les passants offraient le tableau d'un monde clos et cuit, populeux, jaspineur, excité au fond de sa dégradation. Du Portail Saint-Joseph à la rue des Césars régnaient le mini-commerce, la brocante aux abois, le bric-à-brac, le méli-mélo, le colportage, la friperie, les menues tractations de la vente et de l'achat. C'était, à chaque pas, un capharnaüm assourdissant, étouffant, où la rage de vivre semblait curieusement tirer sa force des malheurs mêmes qui imbibaient chaque centimètre carré de la ville. Il coupa par la rue des Fronts-Forts, vers l'avenue Monseigneur-Guilloux, jusqu'à l'entrée de la place des Héros où se trouvait le siège de l'Office national d'Électrification des Âmes.

Devant l'édifice à trois étages, tout neuf, il y

avait un va-et-vient ininterrompu d'agents; certains portaient un uniforme bleu, d'autres un treillis de para. On voyait aussi quelques-uns vêtus à la mode lancée par le Grand Électrificateur en personne : complet de casimir noir, chemise au col blanc impeccable, cravate rouge grenat, mouchoir assorti, lunettes noires, feutre gris Stetson ou Borsalino, gants beurre frais, mitraillette au poing. Les deux factionnaires postés à la porte d'entrée du bâtiment s'approchèrent de Postel. Ils le palpèrent le long des côtes, sous les aisselles, le long des jambes, sur les poches du pantalon.

— C'est pour quoi ? lui dit l'un des hommes.

— Le mât suiffé, dit Postel.

— Suivez la flèche, dirent en même temps les deux agents.

Postel aboutit, au premier étage, à la fin d'un couloir, à une grande pièce nue où seul se détachait, sur le mur, le portrait du Grand Électrificateur. Des dizaines d'hommes, habillés et chaussés de manière dépenaillée, faisaient la queue devant un bureau où trônaient deux Onédistes.

— Pour le mât, n'est-ce pas ? demanda Postel.

— Le mât oui, répondit le dernier homme de la file.

Postel occupa sa place au bout du rang. Des hommes armés entraient et sortaient en silence, comme s'ils traversaient un temple, sans prêter aucune attention à eux. Derrière le bureau d'inscription était assis un agent aux cheveux « repassés », peignés en arrière, avec une raie au côté droit. C'était un nègre au cou étroit, aux oreilles de chauve-souris. Il tenait un stylo de la grosseur d'un bras d'enfant. Il paraissait très fier de son engin. Il le braquait chaque fois qu'il s'adressait à l'homme qu'il inscrivait sur son registre. Sa voix arrivait à Postel avec les questions monotones : nom, prénom, adresse, occupation, prison pour vol, pour assassinat, coups et blessures, scandale sur la voie publique, bagarre à coups de machette, viol, délit de lèse-électrification, etc. De temps en temps, l'homme-au-stylo-bras-d'enfant se penchait à l'oreille de son voisin, un électrificateur en uniforme. Celui-ci tantôt secouait gravement la tête, tantôt pouffait dans son mouchoir, se retenant de rire aussitôt, et portant invariablement la main sur la crosse d'une mitraillette posée sur la table. Après son inscription, chaque aspirant à la montée du mât était invité à passer dans une pièce à côté, pour la photographie et des formalités anthropométriques. Quand arriva le tour de Postel, l'homme-au-stylo-bras-d'enfant, sans lever l'œil, lui jeta machinalement :

— Nom ?

— Henri Postel.

— Comment donc ?

— Hen-ri Pos-tel.

Les deux Onédistes se regardèrent, interloqués.

— Il y a deux Henri Postel dans la ville ? demanda le militaire.

— Un est déjà de trop, dit l'homme-au-stylo-bras-d'enfant.

— Adresse ?

— 111, avenue Dessalines, Tête-Bœuf.

51

Les agents échangèrent quelques mots précipités à voix basse.

— Occupation actuelle?

— Commerçant-détaillant.

L'homme au stylo géant demanda à son collègue :

— Commerçant, avec un *s* ou un *z*?

— Avec deux *s*, mon cher.

— Détaillant, avec un *y* ou deux *l* foutre-tonnerre!

— Avec un *gn* comme gagnant, dit la panthère tachetée.

— Avez-vous fait de la prison?

— Oui, dit Postel.

— Pour vol?

— Non, dit Postel.

— Assassinat?

— Non.

— Alors, viol, hein? dit l'homme, les yeux soudain brillants.

— Non plus.

— Délit d'électrification?

— ...

— Répondez foutre à ma question?

— Pour le bon plaisir du Grand Électrificateur des Âmes, dit Postel.

L'homme agita son phénomène de stylo sous le nez de l'ex-sénateur. « Criez vive le Chef-Spirituel-à-Vie-de-la-Nation! » L'homme tacheté écarta la plume et dit :

— Laisse-le-moi, Dodo. Avec le nom qu'il porte, il fera une belle passoire.

Il colla le canon de son arme contre la poitrine de Postel.

— Ce mâle nègre, dit-il, désignant la mitraillette, veut que tu lui répètes pourquoi tu as été en prison.

— Pour avoir été un sénateur du peuple, dit fermement Postel.

— Vous êtes donc l'ex-sénateur Postel ? dirent en chœur les deux agents.

Après une nouvelle messe basse, l'homme-au-stylo-bras-d'enfant déclara avec emphase :

— Il s'agit d'un cas tout à fait exceptionnel. Mon compagnon va aux renseignements. Asseyez-vous là en attendant. Au suivant, foutre-tonnerre !

L'inscription reprit son cours ennuyeux tandis que Postel attendait. Au bout de trente minutes environ, l'Onédiste en uniforme reparut en compagnie d'un énorme civil en complet bleu d'alpaga. Postel reconnut le sous-chef de l'ONEDA, l'adjoint de Clovis Barbotog, l'homme qui avait mérité le nom d'«enfant terrible de l'onédozacharisme», le Dr Parfait Alexandrin, connu aussi dans la ville sous le sobriquet de Samouraï Papaloa. À son entrée l'agent qui inscrivait se leva précipitamment, fit le salut militaire avec le stylo-bras, et céda la place qu'il occupait à son supérieur. Merdoie s'installa d'un air compassé, essuya lentement ses lunettes noires avec une inexplicable grimace de dégoût. Ensuite il invita Postel à se tenir debout devant lui.

— Qui vous a autorisé à vous inscrire pour le prochain mât suiffé ? demanda le vice-ministre.

— Ma conscience, dit Postel.

— Qui vous a dit que vous avez une conscience ? Dans ce pays un seul homme peut faire état de sa CONSCIENCE, parce qu'il l'a au majuscule : c'est notre vénéré Chef-Spirituel-à-Vie, l'Honorable Dr Zoocrate Zacharie. Où étiez-vous, hier soir ?

— Sur la place des Héros, dit Postel, à regarder les préparatifs du prochain mât de cocagne.

— Pourquoi n'avez-vous pas ouvert « L'arche de Noé » hier après-midi et ce matin ?

— Depuis vingt-quatre heures, je consacre tout mon temps au tournoi.

— Vous ne savez pas que nous sommes en droit de considérer votre décision comme un attentat à la Sûreté de l'État onédo-zacharien ?

— Je ne vois pas en quoi le fait de grimper sur un tronc d'arbre met en danger votre appareil d'État. Parler d'atteinte à la Sûreté de votre État, c'est faire bon marché du code...

— Nous ne sommes pas ici pour un débat juridique, Postel. Vous êtes depuis cinq ans soumis à un processus spécial d'électrification spirituelle. Comment un homme dans votre situation peut-il aspirer à monter à un mât suiffé ? Quelle intention criminelle avez-vous derrière la tête ?

Sur le moment Postel eut envie de proposer une main de fer également au Dr Alexandrin. Il pensa aussitôt que son offre ne serait du goût d'aucun des policiers. Il continua à se taire.

— Vous ne voulez pas répondre, hein ? Mais enfin, Postel, dit Alexandrin, sur un ton moins

arrogant, vous n'êtes malgré tout pas un vaga-
bond des rues. Vous êtes un homme de culture,
ci-devant sénateur de la République, un ancien
Sorbonnard, voyons, vous n'avez rien à faire sur
un mât suiffé. C'est un sport pour délinquant de
droit commun.

— La dernière fois, au Fort-Dimanche, avais-je
un statut de prisonnier politique ?

— Maintenant vous êtes un type spécial de pri-
sonnier-politique-libre !

— Comme les 98 % des citoyens du Grand Pays
Zacharien !

— Fermez votre sale gueule, Postel Henri, cria
Alexandrin, l'écume aux lèvres.

Il avait déjà saisi la mitraillette de son voisin
quand un remue-ménage se fit dans son dos, au
même instant. Deux soldats venaient de se mettre
au garde-à-vous, à la porte, pour livrer passage
à un homme sec, de taille moyenne, aux grands
yeux à la fois rieurs et troubles, en complet gris
coupé visiblement dans le meilleur tissu anglais,
avec un œillet fraîchement cueilli, une pochette
de la même groseille que la cravate, le teint net
et frais, l'air détendu, le port entre le diplomate
de carrière et l'académicien, le général d'avia-
tion en civil ou l'évêque anglican qui fait son
entrée dans une fête d'enfants. C'était le ministre
de l'ONEDA, Son Excellence l'Honorable Clovis
Barbotog. Postel ne l'avait pas revu depuis des
années. Il avait légèrement grossi à la nuque et
aux joues. Il avait quelques poils gris aux tempes.
Avec l'âge son air mondain et aimable s'était

accentué. Tout le monde dans la pièce s'était raidi à l'arrivée de Barbotog, sauf Postel qui avait gardé son maintien détendu et ironique. Il soutint calmement le regard du ministre dans le silence qui était à couper à la scie.

— Nous voici maintenant monteur de mât suiffé, dit Barbotog, d'une voix exagérément grave, à l'inflexion étudiée.

— Comme vous le voyez, dit Postel.

— Il faut dire *Excellence*, hurla le Dr Alexandrin.

Barbotog sans se tourner vers son adjoint fit un geste qui disait que ça n'avait pas d'importance. Il reprit sur le même ton caverneux :

— Qu'est-ce qui peut bien vous attirer sur ce mât repoussant, Henri ?

— ...

— Vous refusez de répondre ? Il vous faut une autorisation spéciale pour participer à ce tournoi. Est-ce un tremplin de diversion que vous cherchez sur le mât ? Est-ce une manœuvre désespérée pour essayer d'attirer sur votre agonie les regards apitoyés de ce pays ?

— Je vais monter pour monter, dit Postel. Songe-t-on à demander à un singe pourquoi il grimpe ? Ou à un liseron ? Ou encore à un pic-vert ? Grimper fait partie de leur nature, n'est-ce pas ? De même la seconde nature que vous m'avez façonnée veut que je grimpe au mât suiffé. Je suis un *zombie-grimpeur* !

— Écoutez, Postel, dit Barbotog, nous ne sommes pas dans ce local sacré pour faire de l'esprit aux dépens de la Sûreté de l'État. À votre place je...

Barbotog n'acheva pas sa phrase. Il se pencha d'un air inspiré à l'oreille du Dr Alexandrin. Les deux hommes se mirent à observer Postel intensément.

— Henri Postel, dit Barbotog, d'un air cordial, que penseriez-vous si nous disions que le mât de cocagne qu'on peut déjà voir de cette fenêtre est un gigantesque membre viril qui fend en deux le ciel de notre capitale ?

— Je dirais que plus que le pauvre ciel c'est le système onédo-zacharien qui mérite d'être passé au fil de cette épée-là...

À ces mots Barbotog ne put dissimuler l'excitation de sa pomme d'Adam ni la crispation des muscles de sa mâchoire. Il serra durement les poings sur la table pour contenir la lourde colère qui montait en lui. Il retrouva cependant son onctueux sang-froid. Il devait écarter l'hypothèse de folie qu'il avait un instant avancée à l'oreille du Dr Alexandrin. L'homme qu'ils avaient en face d'eux n'était sûrement pas fou. Après un silence gênant, Barbotog reprit :

— Revenons aux choses sérieuses. Il est plutôt de notre intérêt qu'une ville entière vous regarde perdre définitivement le peu qu'il vous reste d'ombrage au soleil. Si vous tenez tant à votre ridicule projet, nous n'allons pas vous l'arracher de la tête. Dès ce soir, nous ferons de ce mât le symbole de notre pouvoir tutélaire et vertical dans ce pays ! Ce sera le Mât-du-22-octobre ! Il vous est encore possible de revenir sur votre décision. Vous avez quelques minutes pour réfléchir.

— C'est tout réfléchi : je tiens à participer au prochain tournoi de mât de cocagne.

— OK, *yes boy*, dit Barbotog. Tant pis pour vous. Nous allons donner à ce jeu un éclat sans précédent. Le pays ne perdra pas un seul geste de la fin d'Henri Postel. Vous serez la principale attraction de la Fête d'Électrification des âmes. Le monde verra un événement unique en son genre : une démocratie généreuse au point de laisser son principal adversaire, tout d'abord gérer librement, pendant cinq ans, une boutique dans un quartier populaire, ensuite, participer à une compétition nationale avec les mêmes chances que n'importe quel citoyen. Vous essayerez donc, Henri Postel, avec vos restes d'homme d'escalader le dos de l'État onédo-zacharien ! Vous allez, d'ici vingt-quatre heures, vous mesurer au vent debout, camarade Noé !

Barbotog se leva, s'inclina en joignant cérémonieusement les mains pour saluer Postel à la manière indienne, comme il l'avait vu faire à un haut fonctionnaire de police, lors d'un symposium à Calcutta. Il se retira précipitamment avec son escorte.

*

Le Dr Parfait Alexandrin resta et inscrivit les coordonnées de Postel sur le registre. L'inscription terminée, on photographia Postel sous tous les angles. Puis, à sa surprise, Alexandrin l'invita à monter en voiture. Il le conduisit à l'hôpital militaire où on le soumit à un examen médical complet. Une commission de médecins, ayant à sa tête le doyen de la Faculté, le professeur Léo Primas, le reçut. On lui prit la tension, on lui fit un électrocardiogramme, on lui radiographia le torse, les reins, les genoux et même les testicules. On examina ses réflexes et son volume respiratoire. Selon leur spécialité, les praticiens se penchèrent, qui, sur ses articulations, qui, sur son système cellulaire, qui, sur il ne savait bien quoi.

On laissa son système nerveux pour la fin. Le Dr Primas, psychiatre-chef de la Maison des Fous de Pont-Beudet, prit Postel à part et l'accabla de questions. De quelle manière avait-il, la veille, senti pour la première fois le besoin de grimper sur le mât suiffé ? Avait-il eu des maux de tête avant ou après que cette idée lui était venue ? A-t-il conscience des évidentes connotations phalliques du mât suiffé ? Y a-t-il des antécédents homosexuels dans sa vie, avoués ou latents ? Quand il était gamin s'était-il livré à des séances onanistes en intégrant des scènes de mât suiffé à ses fantaisies ? Était-il parvenu à l'orgasme au cours de ces expériences ? Aurait-il rêvé, une fois, sous forme de cauchemar accompagné de sudation, que sa mère avait cocufié son père en introduisant un mât suiffé dans le lit conjugal ? À toutes ces questions, Postel fit des réponses cuisantes d'ironie. Cela n'empêcha pas le Dr Primas de porter le diagnostic suivant :

«Le citoyen Postel offre une tendance marquée au dédoublement de la personnalité. Dans l'espace de moins de dix ans, il a cumulé, avec un zèle égal, les activités de professeur de littérature, d'agitateur professionnel, sénateur, conspirateur, petit commerçant. À quarante-neuf ans, avec un cœur fatigué par des excès de boisson alcoolique, une force musculaire immergée dans la graisse, une pression artérielle anormale, le voici qui aspire à un exploit qui exige une endurance physique exceptionnelle. Il y a là, à vue d'œil, sur-estimation de la personnalité, perte du sens des réalités, déplorable adaptation au milieu social et au dynamisme que notre Grand Électrificateur à Vie lui a imprimé. À découvrir les préparatifs d'un mât de cocagne, la névrose du citoyen Postel, qui évoluait lentement depuis des années, a connu une sorte d'accélération, phénomène qui nous est familier en médecine mentale. Ce brusque désir de grimper à un arbre de nature phallique, devant une foule hostile, est caractéristique de cette sorte de délire paranoïaque qui, quand ses mécanismes politiques ne peuvent plus jouer, comme c'est le cas du sieur Postel, se rabat avec le même fanatisme sur le sport, le commerce, l'art, le jeu ou sur à peu près n'importe quoi. Postel a choisi le sport le plus dur de tous, parce qu'il y a en lui un entêtement pathologique. Cet excès d'orgueil qui hier lui faisait accroire qu'il était un champion méconnu de la démocratie, c'est le même qui l'incite maintenant, sous l'emprise d'une singulière mutation des pulsions délirantes, à vouloir sortir vainqueur dans une compétition de mât de cocagne. »

Ensuite le Dr Primas et ses collègues échangèrent leurs impressions à voix basse, en présence du Dr Alexandrin. L'expression de grosse et joyeuse satisfaction qui aplatit le visage porcin du vice-ministre de l'ONEDA permit à Postel de comprendre que de l'avis des hommes en blouse blanche ses chances de gagner la compétition étaient nulles.

Il était six heures passées quand il quitta l'hôpital militaire. Une fois dans la rue, il se dit calmement : « Ne pense à rien d'autre qu'à l'opération que tu as en train. » Jusqu'à Tête-Bœuf, il chassa avec succès de sa tête toute pensée étrangère à l'effort qui l'attendait à partir du lendemain. Son esprit et son corps étaient un seul *oui* à la fois douloureux et joyeux.

*

Il entra dans la maison par la porte de la cour. Il alluma la lampe-tempête. Il échangea ses souliers contre des sandales. Il quitta le pantalon et la chemise de sortie. Il enfila un vieux short et resta torse nu dans le soir tiède. Il dîna avec appétit. Tout en mastiquant les aliments, il but un mélange de mélasse, de levure de bière, et de germes de blé. Vers huit heures, il se trouva dans le patio assis sur un petit banc, en compagnie de maître Horace. Après avoir écouté le récit de Postel sur sa visite à l'ONEDA, le cordonnier lui dit :

— Maintenant ils vont remuer ciel et terre dans la ville. Tu ne peux plus faire demi-tour. Cepen-

dant, chef, il y a une chose qui m'inquiète beaucoup. Je ne parle pas des âneries du Dr Primas. Je
pense à ce que les appareils médicaux ont effectivement révélé de ton état. Te sens-tu en bonne
forme ?

— Je n'ai ni vingt ni trente ans. Je suis un débris
de l'athlète que j'étais autrefois. Mais de toute
façon, je n'ai pas le droit de manquer mon coup.
Ce n'est pas une opération magique ni un exer-
cice spirituel ni un geste spectaculaire pour me
sentir de nouveau, comme jadis au sénat, vivre
dans la fascination d'un public. Je suis un homme-
en-travail, c'est tout. Puis-je compter sur ton aide ?

— Oui, chef, c'est oui, décidément oui. Ma
vieille carcasse sera une échasse pour ta montée.

— Dans les heures qui viennent, dit Postel,
il faut, à mes côtés, quelqu'un qui soit à la fois
entraîneur, masseur, cuisinier et impresario à
plein temps.

— Un homme qui se charge passionnément de
tes intérêts, chef.

— Oui, quelqu'un qui fasse sienne ma cause.

— Tu l'as, chef. Ce midi, dès que j'ai compris,
à t'entendre, que ce mât est le chemin qui te
reste, j'ai laissé tomber la cordonnerie pour
«l'opération mât suiffé». Je ne me suis plus
demandé : «Ce cochon de poteau le mènera-t-il
quelque part ?» Je me suis mis à agir. Je suis allé
tout droit frapper aux portes de trois vieux bons-
hommes qui, dans leur jeune âge, ont tâté avec
succès du mât suiffé. Je n'ai eu aucun mal à leur
délier la langue. Leur expérience nous sera utile.

Ils m'ont dit l'importance de la cendre pour un monteur de mât de cocagne. Tu dois avoir à ta portée de la cendre pour t'en frotter continuellement les mains, les bras, le torse, le menton, les cuisses, les jambes, le ventre, toutes les parties de ton corps qui seront en contact avec le bois glissant. J'ai fait du porte-à-porte dans le quartier, et j'ai déjà récolté trois gros sacs. J'ai dit à nos voisins que j'ai un jeune parent qui s'est mis en tête de participer au tournoi. Il faut penser aussi à une réserve de citrons. Le participant au mât a besoin de mâcher des bouts de citron pour se rafraîchir la gorge et la bouche. J'ai appris de ces vétérans un tas d'autres trucs qui vont nous servir. Quant au massage, qu'ils ont recommandé également avec chaleur, s'il n'y a personne d'autre je m'en chargerai. L'idéal, ce serait des mains de femme, avec la chance qu'on dit que ça porte. Tiens, j'ai une idée : as-tu remarqué les mains qu'a *sor* Cisafleur, la marchande de fritures d'en face ? Ce sont des mains bien formées : fortes, longues, souples, bref, d'intelligentes mains de masseuse. La graisse brûlante, les épluchages de bananes et de patates ne les ont pas alourdies ni abîmées. Je verrai sor Cisa, ce soir même. Autre point important : il faut qu'il y ait sur la place, au premier rang de la foule, une bonne et chaude claque, comme pour la boxe. De l'avis des anciens champions le vainqueur d'un mât de cocagne doit son triomphe 75 % à sa force physique et à son courage féroce, 10 % à la quantité de cendre qu'il a à sa disposition dans la montée, 5 % à de l'astuce et de la veine combinées, 10 % à la qualité de la claque qui lui remonte le moral dans les moments de découragement. Que penses-tu, chef, des débuts de ton impresario ?

— C'est merveilleux, maître Horace, simplement merveilleux !

— Ce n'est qu'un petit commencement. Demain, quand le bruit de ta participation aura éclaté dans la ville, il sera possible de faire mieux. Une commission de Tête-Bœufiens prendra tes intérêts en main avec sans doute plus d'imagination et de savoir-faire qu'un vieux petit cheval de cordonnier. J'ai déjà des noms en tête.

— L'idée est très bonne, mais sois prudent. Si Barbotog soupçonne qu'il existe le moindre soutien à mes côtés, il réduira Tête-Bœuf en cendres. L'ONEDA n'a pas changé de consigne : « Rien de vivant ni de chaud près de Postel. »

— Ne t'inquiète pas, chef, nous prendrons nos précautions. Cette fois, ils ont besoin de nos yeux, nos mains, nos voix, notre chaleur pour l'éclat de leur fête. Tu n'as pas besoin de tant de parlotes, chef. Il te faut un bon dodo.

— Pas encore. Comme il ne fait pas chaud, un peu d'entraînement, cette nuit, me fera du bien. Je me coucherai à l'aube. À midi, si je ne suis pas déjà debout, tu me réveilleras, n'est-ce pas, maître Horace ?

— Compte sur moi, chef. Et le massage, ce sera quand ?

— Demain soir, après le mât. Parles-en à sor Cisa. Elle a de bonnes mains. Sinon, les tiennes feront aussi bien mon affaire. Le vieux cuir, ça les connaît, pas vrai ?

— Pour ça, oui chef. Ménage tes forces. À demain midi.

— Au revoir et merci pour tout, maître Horace.

*

Henri Postel regagna la rue en direction des hautes collines qui entourent la partie ouest de la ville. Il portait un pantalon de kaki décoloré, de vieilles chaussures de tennis, un léger maillot. Il tâcha de suite de régler sa respiration sur le rythme de la marche, mais son souffle était lent et court. Il avançait la tête vide, le regard glissant sur les maisons et les gens comme l'ombre d'un gros poisson aveugle sur un fond de sable. Il contourna l'église des pères rédemptoristes, juste au pied de la montagne, et entama sa montée.

La nuit était nette et claire, hautement étoilée. Il discernait devant ses pas le sentier qui grimpait en lacet sur la face du morne. Il distinguait nettement les arbres. La végétation se clairsemait terriblement à mesure qu'il montait. Le Morne-de-l'Hôpital était autrefois fameux pour son exubérance d'arbres fruitiers. Il se rappelait la fraîcheur de verger qui l'accompagnait jadis jusqu'à Fourmy. Alors les seules éclaircies étaient celles des fermes, des cases, des enclos, des champs récemment labourés. Maintenant les pentes dénudées offraient à la vue leurs flancs aux os saillants, blanchis par le vent et les orages. Érosion et

déboisement sont à nos montagnes ce que la zombification représente pour les gens.

Dans les années d'avant son départ pour l'exil,
il avait bien des fois suivi ce même sentier, lors
des excursions avec les copains. Ils campaient un
jour ou deux à Fourmy ou dans les environs. Ils
achetaient sur place des légumes, des fruits, de la
banane plantain, des épis de maïs, des avocats,
une poule ou parfois même un petit cabri. Une
famille paysanne de l'endroit leur prêtait des
ustensiles et ils préparaient sur des feux de bois
de succulents gueuletons. Ils mangeaient avec
appétit, dans une odeur de viande grillée, de
piments et d'huile d'olive, de betteraves et de
mangues fraîchement cueillies, avec de la résine
parfumée qui coulait sur leur pelure bien asti-
quée par le vent. Le grand air de la montagne
apportait aussi des senteurs d'herbe brûlée, de
crotte de bœuf et de cheval, de poulailler et
de terre remuée. À midi, tout en mangeant en
silence, ou le soir, couchés à la belle étoile, ils
avaient les yeux fixés sur la ville qui, à huit cents
mètres à leurs pieds, s'étendait dans une vaste
cuvette, bordée à l'ouest par l'étincelant golfe
de la Gonâve, et à l'est par la lumière des lacs.
Le Port-au-Prince des années 40 levait vers eux sa
confiante intimité : l'enfance, l'école, l'intense
vie de famille, la chaleur des liens sociaux dans les
fêtes et les bals de quartiers ; le carnaval qui arrivait sur ses chevaux fous ; la vie, l'amour, la mort,
inscrits dans les murs fatigués de la ville, dans ses
arbres et le vieux bois de ses maisons. Port-au-

Prince étirait ses toits brillants de tôles ondulées, ses zones de verdure, le désordre de ses milliers de constructions démodées et branlantes, ses rues bourdonnantes, son port clairsemé de cheminées et de voiles. C'était toutefois une ville déjà ardente de mouches et d'abjections, pâle de poussière et d'ignominies.

Mais, en ce temps-là, des hauteurs de Fourmy, on pouvait encore la contempler sans nausée et sans contraction des muscles de l'estomac et de la gorge. Une journée transparente de juillet ou de tout autre mois de l'année, on pouvait, dans le miroitement de la chaleur, attirer Port-au-Prince vers soi et interroger les cauchemars et les mythes que l'histoire néo-coloniale avait gravés dans son bois et ses pierres. N'étant pas encore une cité muette, prostrée de terreur, elle vous ouvrait de bon gré ses plus secrètes mythologies. Sa vieille tristesse nègre vous répondait et vous laissait faire un choix parmi vos souvenirs. Si l'envie vous en prenait, vous pouviez vous enrouler tendrement dans les draps frais de votre enfance. La rivière Bois-de-Chêne qui traversait la ville était habituellement une sinueuse cicatrice blanche ; mais, après les pluies elle renaissait dans le paysage comme une jeune fille après ses règles. À contempler la ville du haut des collines, on trouvait, ici et là, dans sa pâleur et son abattement, des îlots de sécurité et de fraîcheur. La perception qu'on en avait rencontrait, sous la réverbération suffocante des jours, sous la peur de vivre, des zones d'ombre où l'imagination accablée pouvait cultiver le cresson et l'espoir. Le plus dénué des citadins avait la faculté d'ouvrir sa ville et de se pencher sur sa nuit utérine où l'on découvrait d'humbles trésors que la méchanceté de la papadocratie n'avait pas encore saccagés. Maintenant tu vois ce que le génie de l'ONEDA a fait de ta cité, un circuit fermé d'injustices, grouillant d'abus et de prévarications, rongé de hontes et d'impôts, un petit monde clos d'électrificateurs d'âmes. Tu as sous les yeux sa face nocturne aussi ravagée que son visage du jour. Ta nostalgie lentement se change en épée…

Il continua péniblement la montée, content de ne penser plus à rien, occupé seulement à améliorer son souffle et sa foulée. À son arrivée à Fourmy, il était trempé de sueur, mais il ne ressentait aucune fatigue excessive dans les jambes et les poumons. Son cœur battait normalement. L'air frais sentait encore la fumée des boucans du soir et des meules de charbon. Il se mit à l'écoute de la nuit. D'un arbre voisin, une chouette-frisée cria. Ensuite, il entendit le hennissement d'un cheval, dans un enclos, pas loin. Il ne voyait pas l'animal. Il sentait sa présence à son odeur légèrement écœurante d'écume séchée. Il s'assit dans l'herbe au bord de la prairie. Ses yeux s'accoutumèrent peu à peu à l'obscurité : il vit le cheval qui paissait ; la bête arrachait patiemment les rares pousses d'herbe, en tirant, à le rompre, sur le licou, allongeant inutilement son cou décharné. Postel perçut un klaxon lointain, sur la route de La Boule ou de Boutilliers, puis le changement de vitesse d'un moteur de camion dans une côte. Il regarda avidement derrière lui. Port-au-Prince de nouveau à ses pieds : sa ville, avec ses pauvres lumières traquées, ses rues défoncées et pourries où chaque mètre d'asphalte ramolli est un mensonge et un crime. La voici ta ville empestée où tout est vieux, reptilien, lépreux, la capitale onédo-zacharienne de ta patrie. Regarde la masse d'ombre de la place des Héros à l'orée de la zone éclairée du Palais et des casernes. Tu ne vois pas l'arbre nu qui t'attire à lui de toute la sinistre patience de son suif. Il ne se souvient plus du vent et du soleil, ni du chant de la pluie et des oiseaux dans son feuillage ni de la joyeuse circulation de la sève dans son écorce. De la plastique mésopotamienne au Douanier Rousseau ou Wilson Bigaud, n'est-il pas, l'arbre, le support vivant qui régénère sans cesse le cosmos ? Où as-tu lu ça ? Des choses sur le bois de la croix ? L'Yggdrasil des Scandinaves. Le *mapou* de la Caraïbe — ceiba pentendra L. — qui a le pouvoir la nuit d'aller au loin guérir des malades. Les épiphanies de nos *loas*[1] dans les arbres. L'arbre des anciennes fêtes de printemps en Europe. L'arbre de la liberté dans la révolution française. Le « may stanger » des Suédois. Les noces de l'arbre dans l'Inde. N'a-t-on pas enterré son placenta sous un cocotier-enfant ? Solidarité entre les hommes et les arbres ? As-tu escaladé ce morne pour patauger dans un sermon postélo-métaphysique sur le sym-

---

1. *Loa* : être surnaturel dans le culte du vaudou.

bolisme des arbres dans la culture universelle ? Tu as rendez-vous demain avec un arbre réel. Il est là sous tes yeux. Tu peux déjà sentir son ombre gluante sur tes mains et ta face. Trop encombré tu es encore de l'individu Postel. Trop empêtré, nom de dieu, de tes petites singularités, tes tares, blessé à titre trop individuel de la détresse de ce pays et de la souffrance qu'il y a dans le monde. À cet instant une seule chose compte : tu as pu grimper jusqu'ici sans trop de fatigue, sans trop de courbatures aux jambes, dans le dos, aux épaules. Tu as besoin d'alléger ton souffle.

Il se leva, écarta les jambes et commença gaiement sa gymnastique respiratoire. Il respira profondément, saturant d'air frais ses poumons. Au bout de quelques minutes, une vague d'euphorie l'envahit. Il exécutait les mouvements en souplesse. Il dilatait sa cage thoracique au maximum de sa capacité. À la fin de chaque inspiration il gardait l'air un bon moment, tendait l'abdomen, comptait jusqu'à dix. Ensuite, il expirait à la même cadence. Il inspirait, portait le ventre en avant, le creusait le plus possible, puis attirait l'air dans la partie haute de son thorax. Je nourris mon plexus nerveux de l'air jeune et pur de la liberté. J'incorpore à mon sang la force vitale qui se gaspille ici, j'expulse hors de moi le vieux souffle colonial toxique… Trêve de cabotinage. Suffit. Maintenant tu peux crier à la ville : nous deux l'arbre nu et suiffé, nous deux le mât ensanglanté du monde, nous voici frères à la vie comme à la mort !

*

Quelques heures plus tard Postel se retrouva avec maître Horace dans la cour. Il était rentré vers deux heures du matin. La fatigue de l'entraînement lui avait assuré un sommeil d'une seule coulée. Il s'était réveillé quelques minutes avant midi. Il avait pris des œufs crus, du jus d'orange, de la mélasse, et un bifteck saignant. À son retour, à l'aube, il avait trouvé à sa porte un panier rempli de provisions, avec un petit mot du cordonnier. Maintenant son voisin venait d'arriver avec plusieurs journaux à la main.

— Tu as bien dormi, chef.

— À merveille. Quelles sont les nouvelles ?

— Au gouvernement, ils ont perdu la tête. Jamais ils n'ont été aussi loin dans le grotesque et l'abject.

— Raconte, maître Horace.

— Dans la soirée, il fallait entendre « *La voix de l'onédo-zacharisme en marche* ». Bigarol et le petit Méro n'ont jamais braillé à la radio avec autant de rage leurs habituelles âneries. Regarde les manchettes de leurs journaux : « Le mulâtrisme de Tête-Bœuf ne passera pas », titre *Le Courrier onédo-zacharien*. « Rien de vivant ni de chaud aux côtés de Postel », proclame *Le Nouveau Soir*. Quant à *Le Matin de Port-au-Prince*, il brait : « La négritude zacharienne se change en tigritude verticale pour attendre cet après-midi le sieur Henri Postel sur la place des Héros ! »

— Que dit le canard de Barbotog ?

— Attends voir : dans *Les Nouvelles Onédistes*, on a, sur huit colonnes : «Le Marron Inconnu de notre Histoire revêt une armure de suif pour terrasser l'anarchisme éthylique de Tête-Bœuf!»

— Nous voici en plein délire, maître Horace.

— Oui, les meilleures plumes de la zoocratie sont entrées en campagne : l'éditorial du *Courrier* est de Sam Daumac. Gesner de Casaldiol signe le leader de son torchon. Sur le plateau du sien, Barbotog t'a jeté dans les jambes Albin Cléophas.

— Qui est ce mec-là ?

— Le maquereau du tourisme, l'ancien secrétaire privé de Barbotog.

— Lis-moi.

— À quoi bon, ça te mettra en colère, chef. Ce n'est pas le moment.

— Tu peux y aller.

— Par qui commence-t-on ?

— Daumac, voyons.

— Écoute ça :

«Depuis l'avènement au pouvoir de l'éminentissime Dr Zoocrate Zacharie, son Grand Pays Zacharien n'a pas vécu des moments aussi solennellement dramatiques que ceux qui entourent, depuis hier après-midi, le prochain tournoi de mât suiffé. Ce ne sont pourtant pas de fortes commotions qui ont manqué à notre collectivité nègre au cours des dix dernières années zachariennes. Ce coup-ci, l'événement sismique qui va, en trois tableaux, secouer l'échiquier national, est de nature historico-culturelle.

« Hier soir, au salon Bleu turquoise du Palais, nous étions plusieurs intimes du Chef Spirituel à frémir d'orgueil racial à entendre sa voix prophétique marteler pour la postérité les mots d'ordre du jour : "Le pseudo-libéralisme mulâtre ne passera pas !"

« De nouveau la question sociale sera débattue, et le visage grimaçant de la lutte des classes va prendre sa forme éternelle de préjugé de couleur. Ce Mât de Cocagne, pour qui connaît l'histoire de cette île, symbolise désormais la Force de l'Homme noir, du Marron aux yeux rouges, noir et luisant comme l'ébène, astiqué par trois siècles d'esclavage, hirsute, lippu, brutal, laid, suiffé et sensuel, sauvage et phallique, jailli des profondeurs affreuses de la fournaise de l'iniquité sociale.

« Cet arbre enduit de souffrance noire résume le calvaire qui va du Pont-Rouge à Zoocrate Zacharie, du Parti National à l'Office National d'Électrification des âmes. Ce mât suiffé du 22 Octobre est la symbiose complémentaire de l'Onédo-Zacharisme et de l'Électrification des âmes ! C'est l'hommage grandiose que le leader du Tiers Monde qui porte le nom du onzième des petits prophètes de la Bible — seulement petit par la taille — rend à l'Immortel Marron Inconnu de notre Histoire.

« C'est donc mitraillette au point, que le Mât-État va attendre le nègre sans race, dont les propos et la conduite ont toujours pué l'insincérité, l'hypocrisie, le racisme et le libéralisme mulâtres, continuant ainsi, sans vergogne, une tradition plus que séculaire de mensonges et de manœuvres anti-nègres. Il y a dans la subite décision d'Henri Postel de monter le mât suiffé, en compagnie des larrons de son espèce, quelque chose de malsain, un relent de vice, un penchant pathologique à la haine de classe, un esprit sordide de conspiration, de méchanceté, de duplicité et de comédie qui ouvre un champ illimité d'expérimentation au Dr Léo Primas. Le racisme de Tête-Bœuf ne passera pas ! »

— Que dis-tu de ça, chef ?

— Ça tombe tout chaud du fameux *Manuel d'Électrification des âmes*. Comment, à l'entendre, ne pas sentir la colère et la haine creuser en nous un abîme meurtrier ?

— Calme-toi, chef.

— J'ai toujours chié dans le lait du préjugé de race.

— Chef, je t'en prie, ne gaspille pas tes forces !

— On a torturé sous mes yeux la seule femme que j'aie aimée. On lui a ouvert le ventre et on a mis un gros coq rouge et pimpant à la place du bébé de sept mois qu'elle attendait. Plus tard Barbotog s'est amusé à éteindre des cigares contre les seins nus de ma fille aînée. Nos autres enfants

74

avaient déjà été abattus sur place, à la porte de la maison, en même temps que mon escorte. La même nuit, tu le sais, mes partisans ont été massacrés par milliers à travers le pays, sans pitié. Certains furent enfermés vivants dans des sacs de sisal, avec de grosses pierres, et jetés dans le golfe du haut d'un hélicoptère. Et cinq ans après ces horreurs, qu'est-ce que je fais de mieux contre la zoocratie ? Rien de mieux que grimper sur un fils de putain de mât de cocagne ! Et tu me demandes de ne pas dégueuler un bon coup sur mon propre cœur ? J'emmerde les coups de feu que je n'ai pas tirés, et que personne à ma place n'a tirés. Merde pour nous tous. Nous sommes tous là : couchés sur des blocs de glace, les bras en croix, les mains vides, l'esprit ramolli par le tafia de la résignation. Je donne raison au marin canadien qui allait m'embarquer : on n'est propres, dans ce tiers d'île, qu'à grimper aux cocotiers de l'animisme.

— Tu vaux mieux que ta rage blasphématoire. Je n'aurais pas dû te lire la prose de Daumac. Dès cet après-midi, ils vont voir l'usage qu'un homme qui brûle de la passion d'être tout l'homme, même seul, peut faire de ses forces. Garde ta colère bien froide dans ton cœur, chef !

— J'en aurai besoin pour me démerder sur mon mât ?

— Oui. Tu n'as que tes mains nues. Mais tu as conservé le cœur ferme et tendre. N'est-ce pas une force qui porte plus loin que des fusées ?

— Admettons que c'est vrai. Qui est prêt à en profiter dans ce pays ?

— Ton peuple, chef. Tu as des chances de lui ouvrir les yeux. N'as-tu pas ouvert les miens ?

— Merci, vieux frère. Ma colère est passée. Je suis calmé. Tu as raison : j'ai à garder ma rage, au frais, dans ma tête.

— Si tu croyais un seul mot de ce que tu as dit, tu aurais tranché la carotide à Moutamad.

— J'aurais fui avec son magot.

— À cette heure tu serais en pleine mer.

— Vers une bonne planque au Canada.

— Tu n'es pas parti, chef.

— Je suis resté, n'est-ce pas ? Comment Tête-Bœuf a accueilli la nouvelle ?

— C'est de ça que je venais te parler.

— Raconte, maître Horace, dit Postel, tout content.

— Figure-toi, chef, qu'hier soir, tu étais à peine sorti, sor Cisa s'est précipitée chez moi, sa lourde dégaine aussi agitée qu'une jument dans une écurie en flammes.

— « Qu'est-ce que c'est que cette histoire ? qu'elle a dit. Le bruit court que sénat Postel va participer au prochain mât suiffé. Ce n'est pas vrai, n'est-ce pas ?

— Rien de plus exact, sor Cisa, j'ai dit. Notre voisin a décidé de tenter sa chance sur ce mât.

— Pour une drôle d'idée, c'en est une. Tu ne trouves pas, hein ?

— Pas tant que ça, j'ai dit. Qu'en pense-t-on dans le quartier ?

— Personne ne croit les contes de la radio. Mais qu'est-ce que sénat Postel va chercher sur un mât suiffé ? Tu n'as pas essayé de le faire changer d'idée ?

— Oui, en vain, je lui ai répondu. Henri tient ferme à son projet. Tu sais une chose, sor Cisa, que j'ai dit, je suis moi-même de l'avis qu'il monte à ce mât.

— Si ce n'est pas un secret, peux-tu me dire pourquoi ? qu'elle a fait.

— Pour l'instant, j'ai répondu, je ne te dis que ça : il faut qu'Henri Postel participe à ce tournoi, un point c'est tout.

— Si ce mât est un chemin dans sa vie, j'imagine qu'il ne va pas monter seul ?

— Le mât suiffé, sor Cisa, j'ai fait, n'est pas un sport d'équipe. Comme pour un boxeur sur le ring, la règle c'est : chacun pour soi.

— Et le bon Dieu pour tous, c'est ça ?

— Si tu crois qu'il se mêle aussi de sport, je ne suis pas contre : le bon Dieu pour tous !

— Il n'y a pas que le bon Dieu à mettre le nez dans nos histoires, qu'elle a fait.

— Il y a aussi l'ONEDA !

— Oui, bien sûr, qu'elle s'est écriée, il y a l'ONEDA. Mais ce n'est pas à elle que je pense.

— À qui donc ? j'ai demandé, tout en ayant vu, chef, où elle voulait en venir.

— Écoute, maître Horace, qu'elle a dit, fixant sur moi des yeux soudain durs et interrogateurs : ayant l'ombilic bien enraciné dans cette terre, tu dois savoir à qui je pense. N'est-ce pas à un arbre que cet homme va grimper ?

— Ce mât, j'ai dit, s'il a été effectivement un

arbre, abattu, dépouillé de ses racines, abondamment enduit de suif, masqué comme il est, c'est désormais un cadavre de sapin ou de figuier géant, les restes méconnaissables d'un fromager.

— Ne dis pas de bêtises, qu'elle a crié, de mauvaise humeur; on n'a qu'à gratter ce mât avec l'ongle pour trouver sous le suif du vrai bois de la vie!

— On n'a qu'à frotter aussi la peau de Zacharie pour avoir du vrai sang d'homme. Est-ce pour ça, j'ai dit, que notre "chef spirituel" appartient à l'espèce humaine?

— Ce n'est pas du tout pareil, qu'elle a riposté, avec une grimace de dégoût. Un arbre reste toujours un pied-bois, même sans racines et sans branches, il demeure un être vivant qui a poussé droit, un reposoir pour d'autres êtres vivants qui ont besoin de sa tendresse et de sa paix. Tu saisis maintenant, cordonnier tête-marteau?

— Un mât suiffé, j'ai répondu, pour celui qui est appelé à le terrasser, est, en somme, ce qui se rapproche le plus d'un membre de l'ONEDA.

— C'est possible, qu'elle a dit. Mais le fait pour l'arbre d'avoir été en contact avec la terre, la lumière, le vent, la pluie et le chant des oiseaux, même s'il est plus suiffé qu'un partisan de Barbotog, il y a moyen de parler à l'esprit de son enfance. Enfin, maître Horace, qu'elle m'a chuchoté à l'oreille, que fais-tu de Papa-Loko, dans cette affaire?

— De qui, j'ai demandé, bien qu'ayant compris, chef.

— Tu es de cette île et tu ne sais pas qui est maître Loko ? qu'elle a dit. Tu n'as jamais entendu non plus parler du roi Oloko-Miroir ? Ni d'Azagou Loko ? Ni de Loko Kisigwe Danyso ?

— Me crois-tu tombé des dernières pluies ? que j'ai dit. Je sais bien de qui tu parles. Mais, en toute humilité, j'avoue ne pas voir le rôle de Papa-Loko dans la montée d'un mât de cocagne.

— Ah, maître Horace, qu'elle a fait, ce pays est perdu si un cordonnier de Tête-Bœuf ne voit pas le rapport qu'il y a entre Azagou Loko et un mât suiffé. J'ai honte de toi, en vérité. Tu es plus marteau-à-deux-pattes que je ne pensais !

— Dans ce cas, éclaire-moi, sor Cisa, j'ai dit.

— Combien de fois faut-il te répéter, qu'elle a dit, qu'un arbre a partie liée avec le soleil et la rosée, et même quand les mains de l'homme en font un *poteau-mitan*, une croix, un pylône, un mât de bateau, un lit, une porte, une chaise, une charrue ou bien un humble bâton d'aveugle, ou encore un mât suiffé, il continue par son bois de justice à dépendre de la juridiction du roi Oloko-Miroir !

— Un arbre, j'ai dit, est donc un pont de solidarité entre la vie animale et végétale ?

— C'est un chemin vertical, elle a répondu, le chemin de Papa-Loko, chef d'escorte d'Atibon-Legba, le prince des carrefours et des croisées de chemin. Comment, vieux frère, laisses-tu un homme que tu aimes s'aventurer sur un si glissant chemin sans le concours de Papa-Loko ?

— Écoute-moi, sor Cisa, j'ai dit. Notre voisin a

surtout besoin de tendre le vouloir de son cœur comme l'arc d'un champion. Mais si tu vois en Loko un principe de force qui peut aider Postel dans sa montée, je ne peux pas être contre. Je suis prêt à écouter tes bons conseils, et à les transmettre immédiatement à notre chef. » — Qu'en penses-tu, Henri, n'ai-je pas eu raison de parler ainsi ? Je ne pouvais pas me mettre à expliquer à sor Cisa les origines du symbolisme de l'arbre et des rites de rénovation ; ni à lui parler, je ne sais pas moi, des « *lois objectives de la nature et de la société ou des structures néo-coloniales de l'État onédo-zacharien* », ni rien de ce genre, n'est-ce pas, chef ?

— Tu as bien fait, maître Horace, dit Postel. Tu n'aurais rien gagné à jeter à brûle-pourpoint à la tête de sor Cisa <u>notre façon à nous de voir la vie</u>. Dans le monde où se meut son esprit, il n'y a pas de frontière entre un arbre, un homme, un cheval, un récif, un tigre, un cyclone ou un État. À ses yeux mystiques, le paludisme, la morte-saison, la sécheresse, le président Zacharie, les inondations, la terreur de l'ONEDA sont liés aux mêmes influences malignes. Ce n'est pas par des discours matérialistes que nous ferons de nos païens des citoyens.

— Ni que nous les amènerons à ne plus compter sur l'aide mythique des Legba, Papa-Loko, Erzili et les autres dieux du vaudou...

— Nous devons prendre notre pays tel qu'il est. À nous de savoir trouver un meilleur emploi à la violence qu'il gaspille en transes et en crises de possession. À entraîner nos compatriotes dans l'action, ils auront, plus d'une fois, l'occasion de voir que leur sort dépend d'eux-mêmes et non de la solidarité entre les hommes et le règne végétal. Plus tôt ils le sauront, mieux cela vaudra pour nous tous. Qu'a dit ensuite sor Cisa, raconte, fit Postel.

— «Sans le soutien de Papa-Loko, qu'elle a ajouté, Henri Postel, dans l'état où on l'a mis, ne pourrait avancer sur son mât. Sais-tu au moins le rôle que Loko a joué dans l'histoire de cette île? Lui, en personne, protégea Dessalines durant toutes les batailles de l'Indépendance. Le chef de la révolution est tombé dans l'embuscade du Pont-Rouge parce que, ce 17 octobre-là, Papa-Loko malheureusement n'était pas à ses côtés. Il était parti la veille en mission secrète dans le département du Sud qui conspirait. Les ennemis du général Dessalines en profitèrent pour leur abominable forfait. Simón Bolívar, lui-même, lors de son séjour à Jacmel, en 1816, grâce aux conseils de Thomas Christ et de sa sœur Sinta, sollicita aussi l'aide de Papa-Loko qui s'attacha à lui mieux que son ombre, dans toutes ses campagnes. C'est pourquoi Bolívar, lui, mourut dans son lit, après avoir fait tout ce qu'il avait à faire. Loko peut prendre à volonté la forme d'un caméléon, d'un oiseau grimpeur, d'un lézard, d'un papillon ou d'une ombre d'homme, de femme ou d'enfant. Avec ça, tu as une idée de l'aide que sénat Postel, dans la traversée qui l'attend, peut recevoir de Papa-Loko. Tout tombe bien : je connais à Tête-Bœuf un bon *cheval*[1] de Loko. Il est d'ailleurs un admirateur de Postel. On peut invoquer Papa-Loko cette nuit même !

— Pas cette nuit, j'ai dit. Notre ami est parti s'entraîner. Il rentrera fatigué. Laissons ça pour la soirée de demain, après la première épreuve du mât. Il faudra aussi donner un bon massage à Postel à son retour de la place. Nous avons pensé, j'ai dit, que tu as des mains pour ça !

— Que sais-tu de mes mains ? qu'elle a dit. Il y a des années, je ne dis pas non, elles étaient bonnes pour ça et pour bien d'autres bonnes choses encore. Regarde dans quel état elles sont. Mes garces de mains ne valent plus rien. Tiens, j'ai une idée : je sais qui a des mains pour un tel homme. Ah, pour ça oui !

— Qui ça ? j'ai demandé avec méfiance.

— Me crois-tu capable de laisser n'importe qui toucher sénat Postel ? qu'elle a dit. Elisa Valéry est une cousine à moi. C'est un hortensia des hauteurs avec des mains qui ont bien poussé. Tu les verras demain soir, qu'elle a dit, avec un clin d'œil coquin. » Et elle m'a quitté.

— À ce que je vois, dit Postel, tu as formé un bon comité de défense de mes intérêts : outre toi, il y a sor Cisafleur, Papa-Loko et l'hortensia frais des montagnes !

— Il y en aura d'autres, chef. Il va bientôt être l'heure pour toi de te mettre en route. Vaut

---

1. Cheval : personne possédée par un *loa*.

mieux qu'on y aille séparément. Je te rejoindrai sur la place avec de la cendre et des citrons.

*

Henri Postel arriva sur la place des Héros un peu avant quatre heures. La ville y était déjà assemblée. La multitude formait une masse compacte autour du mât de cocagne qui était surmonté d'une sorte de tripode métallique qui brillait au soleil de l'après-midi d'octobre. De loin l'assemblage supérieur de la mâture qu'au dernier moment Barbotog avait fait ajouter, ressemblait, à s'y méprendre, à une croix gammée.

À mesure que Postel avançait dans la foule, ceux qui le reconnaissaient s'écartaient avec émotion pour lui frayer un passage. En un instant, son nom, chuchoté de bouche en bouche, fit le tour de la place, et des milliers de regards cherchaient de partout à le distinguer. L'homme marchait d'un pas ferme, la tête levée, fixant ses yeux souriants tantôt à droite, tantôt à gauche, pour répondre aux saluts et aux vivats. Vêtu d'un blue-jean décoloré, d'une vieille chemise blanche à manches courtes et de sandales de cuir, il avait l'air simple et détendu. Quand il passa devant la Tribune des officiels, quelqu'un lui cria une grossièreté, mais son port digne et sérieux désarma ce début de provocation.

À plusieurs mètres autour du mât, on avait laissé un espace libre où, sur un côté, était installée la table du jury, et au côté opposé, un banc destiné aux compétiteurs. Une double haie de soldats armés de fusils et de mitraillettes séparait l'enceinte du tournoi des premières rangées de la foule. Postel franchit sans difficulté le cordon et alla s'asseoir sur le banc, en compagnie de ses concurrents. Tout était prêt pour le combat. On n'attendait que le président Zacharie pour commencer.

Quelques instants après, il y eut un remous à l'aile sud de la place, suivi d'un vacarme de motocyclettes, de coups de klaxon et de cliquetis d'armes : c'était le cortège présidentiel qui approchait. Le Grand Électrificateur des âmes, carabine au poing, descendit de voiture et, au milieu des cris de ses partisans, gagna sa place d'honneur sur la Tribune. La multitude se figea aussitôt pour écouter l'*hymne onédo-zacharien*, exécuté par la fanfare du Palais.

*

Ensuite, l'attention de la foule se concentra intensément sur l'enceinte où le tournoi allait se dérouler. On vit Clovis Barbotog délibérer un instant avec les membres du Jury avant de se diriger, des papiers à la main, vers les micros de la radio et de la télévision.

« Avant de vous présenter, dit Barbotog, les huit hommes qui finalement ont été admis à participer au solennel mât de cocagne de cette année, je voudrais faire quelques brèves considérations d'ordre technique.

« Jusqu'à hier, en fin d'après-midi, les participants faisaient le bon nombre de 7, chiffre idéal, n'est-ce pas, pour une compétition qui a lieu dans le cadre de la fête quasi rituelle de notre ONEDA. Mais, au dernier moment, le sieur Henri Postel s'est présenté à nos bureaux, avec les criminelles intentions que nos médias ont déjà dénoncées à la Nation. Nous avons relevé aussitôt le défi, car notre Grand-Doctrinaire-à-Vie n'est pas homme à refuser le combat singulier à visière levée, même quand l'adversaire qui le provoque est un nègre errant, un "petit chevalier à la triste figure mulâtre", grand amateur de complots et de tafia, à qui il ne reste pour fanfaronner que le lance-pierres de l'insolence et de la perfidie !

« Donc, au lieu des sept combattants prévus, huit hommes vont s'attaquer sous vos yeux à ce mât suiffé, que le Grand Réparateur des Fautes Commises par ses sujets a bien voulu, en ses brillantes qualités de Chef suprême de la Révolution, Apôtre de l'Unité Nationale, Leader du tiers et du quart monde, Bienfaiteur des Pauvres et des Prostituées, Homme-Drapeau Un et Indivisible, Être Imma-tériel à 100 %, bref en tant que Dr Zoocrate Zacharie, il a bien voulu, dis-je, élever au rang de principe heuristique de l'onédo-zacharisme.

« Ces modernes gladiateurs ont jusqu'à di-manche soir, au plus tard, pour montrer, à leur Grand Pays Zacharien et au monde, lequel d'entre eux est le plus digne de décrocher le titre excep-tionnellement glorieux de Héros National des Jeux du Onzième anniversaire de l'ONEDA.

« Dans la valise en beau maroquin placée au

faîte du mât, le vainqueur de cette année trouvera d'abord un chèque, tenez-vous bien, un chèque de vingt-cinq mille dollars! Ah! ce chiffre vous fait rigoler? Quand avez-vous vu Clovis Barbotog plaisanter avec les affaires de l'État? Je dis bien un fabuleux chèque de vingt-cinq mille dollars que le champion pourra empocher en billets plus verts que le gazon de cette place. Il aura ensuite sous la vue la plus belle surprise qu'un citoyen de marque mérite de recevoir d'un État généreux, en matière de vêtements et d'objets masculins de très grande valeur.

« En plus de ces trophées, le champion, à ouvrir sa valise, sera également ébloui par un instrument de fabrication portugaise, une véritable œuvre d'art qui n'a pas encore été étrennée, car il y a à peine une semaine que le président Zacharie l'a reçue en cadeau de la mission commerciale du généralissime Tchang Kaï-chek qui était en visite officielle dans notre capitale.

« Une vieille tradition voulait que le vainqueur du mât suiffé soit jeté en prison aussitôt après son exploit. Cette coutume nous a été léguée par l'empire des Césars. En effet, lors des courses de chevaux qui avaient lieu, le 15 octobre, sur le Forum romain, le coursier gagnant était immolé après sa victoire, afin de purifier et de protéger la ville. Cette fois, il n'y aura pas de "cheval d'octobre" sur le Forum onédo-zacharien. Le champion du mât suiffé aura le droit au port d'une arme de guerre, complément indispensable dans la garde-robe de l'*homo zachariens*.

«La modification que nous venons d'apporter à l'institution du mât de cocagne ne plaira pas beaucoup au huitième personnage du tournoi, sempiternel aspirant au martyre, qui comptait fébrilement sur une très hypothétique victoire pour nous acculer enfin à l'écrouer comme mal-faiteur. Qu'il sache, d'ores et déjà, que si par malheur, il parvenait à triompher dans cette com-pétition héroïque, ce qui l'attend, c'est le devoir de porter le prestigieux uniforme de l'ONEDA ou de se tirer une rafale dans la tête.

«Je vais vous lire maintenant, par ordre alpha-bétique, les noms des huit participants au tour-noi, avec leur âge, profession et lieu de naissance. Nous les invitons, au fur et à mesure que nous déclinons leurs coordonnées, à se lever à tour de rôle, pour que le Grand Pays Zacharien et le monde puissent bien les voir :

Muston Alphonse : 24 ans, ferblantier, de Fort-Liberté.

Narbal Brévica : 26 ans, débardeur, de Mira-goâne.

Sydnel Frérel : 23 ans, électricien en chômage, de Baradères.

Pascal Joubert : 30 ans, *bœuf-à-la-chaîne*, de la Nou-velle-Touraine.

Thélisson Labédoyère, dit Ti-Lab : 21 ans, mate-lot, d'Anse-à-Foleur.

Roger Lanoze, dit Gros Roro des Bois : 30 ans, garçon de cour, de Bombardopolis.

Espingel Nildevert : 32 ans, cultivateur, du Morne-des-Commissaires.

Henri Postel : 49 ans, petit commerçant, de Jacmel.

«Je vous fais remarquer, à en juger de l'âge moyen des participants, que le mât de cocagne est une entreprise de la jeunesse. Un quasi-quinquagénaire, plus que décati, ne peut y remporter que les palmes du ridicule et de la dérision. Cela dit, je vous invite, messieurs, à observer strictement les règlements et le *fair play* en usage dans ce sport. Maintenant que celui d'entre vous qui se sent le plus d'attaque commence l'épreuve ! »

En disant ces derniers mots, les yeux de Barbotog n'avaient pas quitté Postel. L'ex-sénateur ne bougea pas, tandis que ses compagnons se regardaient entre eux, indécis. Les photographes et les porteurs de caméras se mirent à trépigner d'impatience. Un grand remous de curiosité agita le public qui attendait de voir qui de ces huit hommes allait d'abord passer à l'action.

Le premier qui se leva et s'avança vers le mât de cocagne, ce fut Roger Lanoze, dit Gros Roro des Bois. Il était de loin le plus fort du groupe. C'était un colosse d'aspect farouche. Son visage avait une ossature d'animal de proie, des pommettes hautes et rondes, de gros yeux rapprochés et sanguinolents, des oreilles minuscules, un menton exagérément carré que barrait une mystérieuse cicatrice. Il avait le teint brillant et si bleu-noir qu'on n'eût pas été étonné de voir soudain un corbeau ouvrir les ailes en lieu et place de son visage. Gros Roro des Bois se tint un moment en prière au pied du mât. Dans le public qui s'impatientait déjà quelqu'un cria :

— Vas-y, Gros Roro, qu'attends-tu pour attaquer ? Ce poteau ne va pas te dévorer.

Gros Roro fit volte-face, l'air en colère. On vit, à la grimace qui enlaidit encore plus ses traits, qu'il avait au bout de la langue une grosse insulte à l'adresse du spectateur qui l'avait raillé. Mais intimidé par la masse de regards braqués sur lui, il avala l'injure qui lui brûlait la bouche. Brusquement, il quitta souliers, chemise et pantalon, et apparut, pieds nus, dans un court short en kaki. Des cris s'élevèrent des premiers rangs de la foule.

Les différentes parties de cet immense corps d'homme accusaient des rapports d'équilibre, de volume, de relief admirables, en même temps qu'elles laissaient soupçonner chez Roro des Bois une force et une endurance de géant. Dans les pectoraux, les deltoïdes, les dorsaux, on découvrait un fini, un allongé, une grâce «séchée» qui firent penser que pour Roger Lanoze, habitué aux exercices les plus violents, atteindre le sommet du mât allait être un passe-temps de petit chat.

L'homme avait les muscles abdominaux d'une incroyable plasticité. La surface de son ventre était superbement sillonnée, avec un dessin bien détaché des obliques, des grands droits et des dentelés. Il y eut des éclats de rire dans un groupe quand un blagueur fit remarquer qu'avec des muscles aussi saillants à la maison, la femme de Gros Roro ne doit point se mettre martel en tête quand elle n'a plus de ligne où tendre son linge.

Les ressources musculaires de Lanoze ne s'arrêtaient pas à son tronc : la musculature des jambes et des cuisses était, à l'avenant, celle d'un discobole. Cette perfection fit oublier ce que Roro avait de cauteleux et d'insociable dans la laideur de son visage. Beaucoup de gens se mirent à engager des paris sur lui avant même de le voir aux prises avec le mât.

Lanoze cracha dans chacune de ses paumes et attrapa le poteau comme un catcheur le cou de son adversaire. Ses longs doigts s'enfoncèrent dans la couche de suif fondant. Puis de toutes ses forces, il s'arc-bouta pour prendre son essor. Il s'éleva de quelques degrés et s'immobilisa net. Il se mit à jouer des reins et des épaules pour avancer de nouveau, mais ses extrémités ne répondaient pas. Il donna des coups de reins de plus en plus vigoureux. En vain. Il restait agrippé comme une sangsue au flanc de quelque mythologique vertébré.

— Avance donc, Gros Roro ! Qu'est-ce qui t'arrive ? lui cria-t-on.

— Hé ! L'ami des bois, fais voir tes ailes !

— Allons ! tigre du Bengale !

— Vas-y, Joe Louis !

Les gens se désopilaient. Le géant était incapable de faire un seul mouvement comme s'il était sous l'étreinte d'un boa constrictor qui lui broyait un à un les os du corps avant de l'avaler.

— Ça y est, Lanoze, dit le Dr Alexandrin, le président du jury. Ce coup-ci, tu n'iras pas plus haut. Laisse la place à un autre.

L'homme n'eut qu'à déplier les jambes pour

90

toucher la terre ferme. Il avait le visage, le buste, le ventre barbouillés de graisse et il brillait au soleil comme un dauphin dans un bain d'huile d'olive. Il regagna sa place sous un jet de railleries, l'air essoufflé et furieux.

— Un autre, dit le Dr Alexandrin.

Après l'expérience du plus costaud du groupe, les monteurs étaient plutôt refroidis et déconcertés. Seul Postel gardait un air calme et détendu. Narbal Brévica se décida et courut vers le mât au petit trot des débardeurs des quais de Port-au-Prince. Il leva les bras pour saluer des supporters qui l'encourageaient. Légèrement au-dessus de la moyenne, il avait de très larges épaules, et plus de 40 centimètres de tour de bras. Il avait le visage rond, de grands yeux sous des sourcils en broussaille, un petit nez plat, un menton pointu. Après avoir enlevé ses souliers, son premier geste fut de s'imprégner les mains de la cendre qu'il avait apportée dans du papier d'emballage. Il se signa gravement et chargea le mât. Malgré ses jambes qu'il avait en arceaux comme les cavaliers, et les biceps qui le propulsaient, il n'alla pas plus loin que Gros Roro. Il eut rapidement, lui aussi, l'air d'une ventouse fixée au poteau. Il n'insista pas et descendit avec grâce, donnant nettement l'impression qu'il pouvait faire plus.

La voix du Dr Alexandrin couvrit le vacarme des commentaires.

— Un nouveau combattant! Allons! Pressons! Un autre!

Pascal Joubert se leva en même temps que Sydnel Frérel. Les deux hommes se tenaient l'un en face de l'autre, sans se décider.

— Mettez-vous d'accord, messieurs, dit Alexandrin. Le règlement interdit la montée en équipe.

— Allez-y, dit Frérel à son compagnon.

Joubert était un homme au corps massif, aux traits durs, dans un lourd et ingrat visage de *nègre des feuilles* où cependant des yeux écartés, gais, fureteurs, des lèvres moqueuses où manquaient trois dents de devant, lui faisaient une mine sympathique. Il s'avança en riant et sautillant vers le mât, les pieds nus. Il mit les mains dans les poches de son pantalon et les retira complètement poudrées.

Au lieu de faire sa prise comme ses prédécesseurs, il écarta les jambes, dans la position «en garde» des lutteurs professionnels. Ensuite, il s'ingénia à tourner autour du tronc, d'un air ombrageux, fronçant méchamment les sourcils, en faisant tantôt de petits sauts sur place, tantôt des passes d'escrimeur. Ce manège imprévu amusa le public et même le président Zacharie, Barbotog, Moutamad et d'autres dignitaires présents sur la Tribune pouffèrent de rire. Encouragé par son succès, Joubert ceintura le mât à bras-le-corps, et fit semblant de lui donner un «abrazo», mimant des tapes amicales dans le dos, comme s'il venait de reconnaître un vieux copain qu'il n'avait pas vu depuis des années. Le *bœuf-à-la-chaîne* exécutait des numéros de clown au lieu de s'échiner à monter. Il amusait de moins en moins les spectateurs. Il finit par les agacer :

— Assez bouffonné comme ça, Pascal! lança quelqu'un. À l'attaque!

— Pascal à l'attaque! Pas-cal à l'attaque! scandaient sur un air connu de multiples voix.

Malgré ces huées, Joubert persista à se donner en spectacle. Il s'accrocha au mât, poussant des cris perçants, agitant frénétiquement les pieds, comme s'il était suspendu au vingtième étage d'un édifice.

— Écoutez, Joubert, intervint vivement le Dr Alexandrin, nous ne sommes pas ici au cirque. Je vous somme de prendre au sérieux votre affaire.

Joubert sauta aussitôt sur le mât. Son style de montée fit immédiatement penser qu'avant de travailler sur le toit d'un camion de voyageurs, il avait gagné sa vie dans une plantation de cocotiers. Il usait de la technique des meilleurs grimpeurs de cocotiers. Il posa les pieds à plat, les orteils écartés, tout en attrapant le tronc fermement des mains, sans toutefois l'embrasser, gardant les bras allongés, presque parallèles aux jambes, son corps venant à former ainsi un arc par rapport au mât. Dans cette posture, il ondula sur près de trois mètres au-dessus du niveau de la place. Il regagna le sol avec la même aisance, sous les acclamations du public.

— Un quatrième lutteur, réclama le vice-ministre. Vous, Sydnel, c'est votre tour.

L'homme bredouilla timidement qu'il préférait attendre encore un peu.

Alors Henri Postel se leva. Il regarda autour de lui, cherchant maître Horace. Il le vit qui lui faisait des signes. Il s'approcha du cordonnier qui l'aida aussitôt à se talquer les mains, les bras, le cou. Il enleva ses sandales et saupoudra également la plante de ses pieds, sans hâte, au milieu du silence et des regards fascinés des premiers rangs.

— Maintenant, citoyens négro-zachariens, dit Alexandrin d'une voix théâtrale, vient le tour du Noé de Tête-Bœuf d'affronter l'État zoocratique et zacharien !

Il se fit un silence de temple sur la place. Des gens s'étaient hissés sur des caisses et des chaises pour mieux voir. Des enfants s'étaient perchés sur les épaules de leurs parents. Des grappes de badauds occupaient tous les arbres environnants. Sur la Tribune, le Grand Électrificateur, Barbotog, et les autres ministres, les principaux chefs militaires se carraient, se rengorgeaient sur leurs sièges, d'un air cérémonieux et faraud. Aux abords du mât, photographes et cameramen, débordant le service d'ordre, étaient un essaim d'abeilles aux alentours d'un rucher. Tout le monde attendait l'entrée en scène de Postel.

Maître Horace et plusieurs autres témoins notèrent que Postel, en se dirigeant vers le mât suiffé, faisait un effort pour retrouver le pas ferme, agile, qu'il avait, des années auparavant, quand il gagnait la tribune du sénat. Mais le contraste éclatait entre le fougueux tribun à la carrure athlétique de jadis et l'homme épaissi qui se déplaçait, lourd, bedonnant, légèrement voûté, avec des cheveux clairsemés et gris, des yeux d'une tendresse triste dans son visage raviné. Cependant malgré l'humilité de son allure, il n'avait pas perdu sa fierté d'homme. Il y avait dans son port quelque chose qui fascinait ses compatriotes. Cette espèce d'aura retint l'attention de Claude-Marc Nidang, l'envoyé spécial d'un quotidien de Paris, qui, ces jours-là, était en reportage à Port-au-Roi. À la fin de l'article qu'il câbla dans la soirée du 21 octobre à son journal, Nidang fit d'Henri Postel le portrait suivant :

« … Parmi les gens de Port-au-Prince à qui j'ai demandé leur opinion sur M. Henri Postel, celui qui m'a le plus intelligemment parlé de l'étonnante personnalité de l'ex-sénateur, c'est un cordonnier du nom d'Horace Vermont que le hasard m'a fait rencontrer dans la foule de la place. Mesuré et précis dans ses jugements, M. Vermont possède à mes yeux le rare mérite de garder bon pied bon œil dans un "tiers monde" encore tout pénétré de magie prompte à détraquer les esprits. Il connaît bien Postel, étant son plus proche voisin dans le quartier de Tête-Bœuf où le président Zacharie, il y a cinq ans, pour éviter que son adversaire ne devînt un martyr encore plus à craindre, imagina de le faire périr à petit feu, derrière un comptoir infect, ironiquement placé à l'enseigne de "L'arche de Noé".

« Je confesse que sans la conversation que j'ai eue avec le vieil Horace, j'aurais été, au sujet de Postel, prudemment sur mes gardes, car dans ce pays, la vie publique comme celle du foyer baignent de préférence dans une ambiance irréelle, propice aux chuchotements et aux fantasmes les plus aberrants. Henri Postel aurait pu être également un produit de cette dramatique irréalité.

« Mais je n'ai vraiment aucune raison de me méfier de la parole du cordonnier lorsqu'il affirme que l'homme qu'il tient pour son chef et ami est un leader qui n'a absolument rien à voir avec les faux messies qui, dans les pays mal décolonisés, s'appuient le plus souvent sur une démagogie plébéienne qui est une des projections fantastiques des malheurs réels qui frappent ces contrées.

« Face aux Zacharie, Barbotog, Somoza d'aujourd'hui ; aux Batista, Trujillo, Pérez Jimenez d'hier, qui jouent ou ont joué jusqu'au délire les sauveurs inspirés du désert, se lèvent des hommes éclairés et courageux comme Henri Postel. Celui-ci a déjà payé du massacre des siens et de plusieurs milliers de ses partisans l'effort qu'il menait pour arracher au "fascisme de sous-développement" les croyances et les forces les plus élémentaires du peuple, afin de les canaliser vers le réveil collectif qui vaincra la famine, l'analphabétisme, la terreur, le fatalisme, la superstition, la maladie, et d'autres dissonances aussi archaïques que cette abracadabrante "doctrine d'électrification des âmes" dont nul ici ne connaît les objectifs réels, pas plus qu'on ne saura jamais pourquoi le Dr Zoocrate Zacharie, cet après-midi d'octobre, a eu l'idée d'ériger son pouvoir absolu en un formidable "Papa-Phallus qui, membre au clair, défie le palmier, l'arbre-à-pain, dans sa trouée glorieuse vers le ciel-vagin de la Liberté!" (*sic*) comme l'a écrit un journal local (...).

« ... Ce vendredi 21, la veille du "jour de chance de l'Onédo-Zacharisme", il fallait voir marcher Henri Postel, quand il s'est levé de son banc d'accusé, vers le duel à mort qu'il doit soutenir avec ce mât cruellement oint de suif, de saindoux, de savon, et Dieu seul sait de quoi encore... L'homme était sans conteste entouré d'une aura qui rendit presque invisible aux yeux des spectateurs le fait que l'ex-sénateur est, quant à son physique de quadragénaire, le moins bien armé du petit groupe d'hommes qui participent à ces insolites épreuves.

« Les gens de l'opposition interprètent le "magnétisme postélien" de diverses manières selon la foi et l'espérance qui les tiennent en vie. Pour les uns, il ne fait pas l'ombre d'un doute que l'un des plus puissants *loas* du vaudou est descendu ou descendra au moment opportun dans la tête de leur idole pour guider ses bras et ses jambes dans l'ascension du mât...

« Pour d'autres, catholiques plus ou moins bon teint, Postel serait visiblement nimbé de l'aura même de la sainteté. Enfin, un petit nombre, parmi lesquels il faut ranger en premier lieu mon vieux cordonnier, jaugent "le petit chevalier à la triste figure mulâtre" selon des catégories plus raisonnables. D'après eux, ce qu'il y a de fascinant chez Henri Postel tient simplement au fait que, du fond de sa déchéance, il a su brusquement s'élever à une sorte de pureté et de fermeté de caractère qui le portent à vouloir avec passion une seule chose au monde : vaincre ou laisser sa peau sur ce mât fou que "les magies de l'État-onédo-zacharien" ont jeté au travers de son chemin d'homme.

« Si le vieil Horace, habitué forcément à s'exprimer à mots couverts, avait consenti à s'ouvrir complètement à notre enquête, je suis sûr qu'il eût convenu que dans "l'opération Postel" qui a commencé, il ne s'agit pas du tout du geste dérisoire et symbolique d'un homme aux abois qui cherche désespérément son identité dans un régime qui humilie atrocement des millions de ses compatriotes. Horace Vermont eût sans doute admis qu'il y a dans le sacrifice solitaire de Postel le souci évident d'offrir à son peuple, ne serait-ce qu'à titre de testament spirituel, un exemple apte à le réveiller de sa condition animale de zombie.

« Malgré les rodomontades que nous avons, par ailleurs, signalées dans le discours extravagant de M. Barbotog, à l'ouverture de ces "jeux sacrés", il n'y a rien en ce moment que la puissance incontestée du tyran craigne tant qu'un triomphe d'Henri Postel sur un mât de cocagne qui a été à la hâte incorporé aux mythes cruels qui alimentent la scélératesse de cette dictature d'un autre âge.

« Les citoyens de la Grande Zacharie verraient sans doute dans la victoire de Postel ce que peut encore un homme, même seul, dans le combat contre la machine qui est en train de broyer implacablement leur sort collectif. Le succès de l'ex-sénateur sur le mât risque de provoquer une série successive de mises à feu : la fusée-Postel libérant la fusée-rébellion-du-pays-réel[1] qui, à son tour, libérerait la faculté de création sociale de ce peuple. L'homme d'action que j'ai vu se mesurer avec rage au mât de Zacharie annonce peut-être le commencement de leur fin à des gouvernants qui, loin d'avoir électrifié et tiré des ténèbres leur pays, ne peuvent se flatter que d'avoir étendu et épaissi dans la vie de leurs administrés les espaces hallucinants de l'imposture et de l'injustice. »

*

Henri Postel retroussa jusqu'aux genoux son blue-jean et empoigna le mât. Il amorça la montée en s'aidant des bras et des jambes. Il franchit une faible distance et s'arrêta. Il tâcha de respirer, dilatant les poumons. Il répéta le mouvement

1. « Le pays-en-dehors », comme on appelle ici le monde rural.

précédent. Il s'avança encore un peu dans les limites que ses prédécesseurs avaient défrichées. Puis il sentit le monstre qui le portait, horriblement gluant, se cabrer furieusement sous son étreinte, comme un poulain sauvage qui cherche à désarçonner son cavalier. Tous les tendons et les ligaments de son corps s'étiraient au maximum de leur capacité d'élongation. «C'était — devait dire plus tard maître Horace à un ami — comme si au lieu de vouloir escalader le mât, il l'avait dans un cauchemar arraché au sol et chargé sur son dos pour franchir un raidillon abrupt.» Postel pouvait à peine respirer, sa cage thoracique atrocement comprimée contre un obstacle de plus en plus évanescent. Son visage et son cou se gonflaient tandis que ses bras et ses cuisses tremblaient. Une sensation d'étouffement s'abattit sur lui. Il se laissa glisser à son point de départ.

Après avoir pris une profonde respiration, il s'ébranla de nouveau. Cette fois, au lieu de s'agripper au mât à bras-le-corps, il suivit la méthode que Pascal avait commencé d'expérimenter. Il l'avait longuement pratiquée autrefois sur les cocotiers des plages de Jacmel. Il prit appui contre le tronc en y plantant solidement les pieds, et porta aussitôt la tension de la montée sur les épaules, les cuisses et les jambes. Il fit seulement quatre pas dans ce style. Il ne pouvait plus bouger. La surface lubrifiée s'esquivait sous son cramponnement. Tout son organisme vibrait. Ses os craquaient. Il peinait, ahanait, transpirait, s'éreintait sous le soleil, la bouche sèche, les poumons en feu. Il avait les muscles et les nerfs noués comme dans une crampe, et ses membres douloureux, contractés à se rompre, ne lui obéissaient plus.

Le public pendant ce temps retenait son souffle. À peine si un éternuement d'enfant troublait le silence de la place. Les gens avaient interrompu les conversations animées où ils engageaient des paris et confrontaient leurs premiers pronostics. Chacun observait intensément l'homme : certains avaient dans le regard une anxieuse admiration, d'autres les transes de la crainte et de l'incertitude, un petit nombre l'écume de la haine

Les grimpeurs précédents, quoique bien plus costauds que Postel, après leur premier échec, avaient regagné prudemment leur place pour récupérer. L'ex-sénateur faisait preuve d'acharnement. On voyait qu'il étudiait les difficultés qu'il avait à vaincre. Il devenait au départ un dangereux outsider. Chaque fois qu'il ne pouvait plus tenir sur le mât, il descendait, respirait à fond et revenait à l'assaut avec une fougue redoublée. Il courut à deux reprises à l'endroit où se tenait maître Horace pour se dégraisser les mains, les bras et les pieds. Le cordonnier en profita pour lui glisser un bout de citron dans la bouche. Il avait le tricot et le treillis tout en lambeaux et dégoulinants de suif fondu. Une sueur huileuse et sale lui jaillissait du visage et lui coulait des deux côtés du nez, dans le cou, les bras et sur tout le corps. À un moment donné, il essaya de combiner les deux styles de montée. Cet effort l'amena d'un degré au-dessus du point que ses compagnons avaient atteint. Il redescendit sous les acclamations de ses partisans.

Il attaqua une nouvelle fois, le corps arqué en face du mât, mais le pied droit vint à lui manquer, il dérapa, perdit l'équilibre, et tomba sur le côté, sans se faire de mal. Il se releva sur-le-champ. Il était safrané, dépenaillé, il avait les traits décomposés d'un boxeur sonné. Cependant, tandis que vacillant, il regagnait le banc, maître Horace ne fut pas le seul à voir que la tristesse avait disparu de ses yeux. Ceux-ci reflétaient maintenant une rage avide et joyeuse. Aussitôt assis, Postel s'appliqua à soigner son souffle, respirant lentement, profondément, sourd aux quolibets qui montaient de plusieurs zones de la place.

Le Dr Alexandrin reprit en main le contrôle de la compétition.

— À qui de monter maintenant? dit-il d'une voix irritée.

Sydnel Frérel se leva sans hésitation. Il avait le visage agréablement juvénile, le nez cassé, les yeux écartés et rieurs. Il portait un pantalon rapiécé à plusieurs endroits, et un tricot à raies encore bleues, tout déchiré dans le dos. Il les enleva, de même que ses sandales coupées dans un pneu usagé. Il parut dans un short au satin violemment jaune. Il était maigre et élancé, avec des jambes et des épaules solides. Avant de commencer il effectua quelques sauts sur place, tout en passant affectueusement la main à plat sur le mât vernissé, comme on caresse l'encolure d'une bête rétive. Ensuite, il enfourcha son adversaire avec agilité.

La technique de Frérel était différente de celle de ses compagnons. Il gravissait le mât, le corps saisi d'une espèce de reptation saccadée. Il se ramassait sur soi, quasi pelotonné et étirait énergiquement les membres inférieurs. Il se remettait en boule et se dépliait de nouveau. À chaque pelotonnement, les gens s'esclaffaient. L'effet comique venait du fait que Frérel avait l'air de vouloir occuper le moins de place possible sur le mât, comme quelqu'un qui cherche à rentrer dans sa coquille, pour ne pas être aperçu. Il s'arrêta court, à bout de souffle, au-dessous de l'endroit que Postel avait atteint. Il se laissa glisser. Après une courte pause, il reprit la montée, dans le même style amusant. Il dépassa à peine sa propre marque et, le corps agité de frissons, il regagna le sol et sa place, sous des paroles d'encouragement de quelques spectateurs.

— Un autre amateur, fit le Dr Alexandrin.

Muston Alphonse s'avança. C'était un gros nègre rougeâtre, trapu, au cou rentré dans la poitrine, aux jambes et aux bras très courts, terminés cependant par des pieds et des mains longs et puissants. Il avait la tête complètement rasée, les yeux vifs et durs, dans un visage renfrogné. Il alla droit au mât d'un air bourru. Il se mit incontinent à grimper. Ses membres râblés se déplaçaient sans grâce, comme de massifs anneaux de fer. Après sa première trêve, il n'insista pas. Il descendit, respira bruyamment et remonta. Il amé-

liora légèrement sa marque, leva son crâne luisant vers le sommet, se signa et battit furieusement en retraite. Avant de partir, il cracha trois
fois au pied du mât. Il en fit également trois
fois le tour : une dans le sens de l'aiguille d'une
montre, deux dans le sens opposé. Ces agisse-
ments levèrent des commentaires exubérants
dans le public. Le Dr Alexandrin eut du mal à
dominer le brouhaha.

— Un nouveau «guapo»! Un autre «sans-
maman»! Un nègre qui les a comme ça! Silence!
Un nègre-pantalon-de-fer!

Le nouveau grimpeur était extrêmement jeune
d'allure. Il avait le pas nonchalant et déhanché des
marins. Il était pieds nus, vêtu d'un pantalon de
dril beige dont seul le bas gauche était retroussé.
Il avait un maillot lie-de-vin très collant qui met-
tait en relief des muscles surentraînés, trop volumineux en proportion d'une taille que l'homme
avait au-dessous de la moyenne. C'était Thélisson
Labédoyère, dit Ti-Lab.

Avant de se mettre à grimper, le matelot consi-
déra le mât avec une sorte de compassion décon-
tenancée, comme un fils qui tomberait sur son
père dévot dans une maison de tolérance. Il sortit immédiatement un sachet de la poche. Avec
son contenu pulvérulent, il se frotta vivement les
mains, les bras et, de manière inattendue, le côté
gauche du visage. Plusieurs spectateurs notèrent
que la poudre de Ti-Lab était trop blanche pour
être de la cendre.

Pour commencer il fit une belle charge. Nul

avant lui n'était monté si haut dès son premier engagement. Il y avait dans sa façon de faire un mélange d'agressivité et de vigueur déliée qui laissa un instant croire qu'il était le prodige de l'après-midi. Cependant malgré ses muscles impressionnants, sa détente féline, il se noua très vite au mât. Les efforts spasmodiques et lents qu'il fit ensuite n'eurent pas de brillants résultats. Il chargea à trois reprises. À chaque coup, son élan déboucha sur un nœud gordien. Son travail toutefois plut énormément au public qui salua sa retraite avec quelques hourras. On entendit plusieurs fois crier : « Vive Ti-Lab ! »

— Il ne reste qu'un monteur sur la touche, fit remarquer Alexandrin. Allons, Espingel Nildevert, fais voir que le dernier peut être le premier. À l'assaut, Nildevert !

L'homme interpellé se porta lourdement vers le mât avec une grande sacoche en vannerie qui paraissait bondée. C'était quelqu'un d'aspect mastoc et dur, à la peau olivâtre, à forte tête mongole, avec une bouche mince sous une grosse moustache bien drue. Il avait au-dessus de ses pommettes saillantes des yeux narquois, sagaces et froids. Il était vêtu d'un pantalon blanc en lame de couteau et d'une chemise noire également bien amidonnée.

Il déposa sa « macoute » au pied du mât et s'accroupit pour l'ouvrir. Il en tira gravement une théorie d'objets : un chapeau haut de forme, une redingote, une fausse barbe blanche, un nez postiche de perroquet, en carton jaune, un cierge noir, un rouleau de papier, un hochet, un crâne, une petite cuillère en argent, une pierre où était incrusté un bout de miroir, un col dur à coins ronds, une paire de lunettes noires, une petite canne, une bouteille pleine et trois gros sachets. Le public, médusé, reconnut illico les accessoires du *loa* de la mort, Baron-la-Croix, dit Baron-Cimetière ou Baron-Samedi !

Après avoir étalé son attirail sur le sol, l'homme se redressa et promena lentement un regard indécis tour à tour sur le mât suiffé, la foule, l'amphithéâtre et la table du jury. Le vice-ministre, l'air interloqué, lui fit signe de s'approcher. Espingel obéit aussitôt. Il eut un entretien à voix basse avec le président du jury et ses adjoints. On le vit ensuite quitter la table et se diriger au trot vers le président Zacharie. Celui-ci, dès l'apparition des premiers objets de Nildevert, avait su à quoi s'en tenir. Il s'était penché vers Barbotog. Les deux chefs avaient pris une décision avant même qu'Espingel eût fini de vider son sac. Quand Alexandrin parvint à la hauteur du Chef-Spirituel-à-Vie, il n'eut pas le temps d'ouvrir la bouche pour demander des instructions.

— Laisse-le faire, voyons, c'est un des nôtres, dit Zacharie, le visage soudain endurci au point de paraître découpé dans du gel noir.

Le vice-ministre de l'ONEDA fit volte-face vers l'enceinte du tournoi, au milieu d'un suspense qui semblait le seuil de déflagration qu'avait atteint la chaleur de l'après-midi. Sor Cisafleur qui avait fini par rejoindre maître Horace était parmi les personnes que l'étalage de Nildevert intriguait et angoissait le plus. Trempée des pieds à la tête, les traits sidérés, elle n'arrêtait pas de parler à l'oreille du cordonnier :

— Ce Nildevert ne m'est pas inconnu. C'est un jeune *hougan*[1] du sanctuaire de madame Eliézer Jean-Baptiste. As-tu une idée de ce qu'il est en train de faire ? Le fils de putain monte une *expédition*[2] contre sénat Postel. Nous sommes perdus, maître Horace.

— Pourquoi dis-tu ça ?

— Ne vois-tu pas qu'il change le mât en *reposoir* de Baron-Samedi ?

— Peu importe : les *haïtiâneries* d'un sorcier ne peuvent arrêter un Henri Postel !

— Tais-toi. Nildevert envoie un *mort* fulminant sur notre ami.

Pendant ce temps, Espingel avait commencé son rite de conjuration au pied du mât. Il se coiffa du haut-de-forme, revêtit la redingote et le col dur, enfila les gants et masqua son visage sous la fausse barbe, le nez de perroquet, les lunettes noires. Le premier geste du faux vieillard fut de déplier le rouleau de papier : c'était un chromo de la lithographie catholique représentant saint Expédit, une croix à la main, le pied droit écrasant un crâne. Nildevert renversa l'image et avec une punaise la fixa sur le mât. Puis à l'aide de la

1. *Hougan* : prêtre du culte vaudou.
2. *Expédition* : opération de magie noire.

cuillère il frappa trois coups secs sur le galet poli, en cadence. Ceci fait, il se tourna vers la tribune et salua le président Zacharie : virevolte et rapide flexion des jarrets. Le Chef-Spirituel-à-Vie répondit à la salutation : inclination du buste et geste vaguement bénisseur de la main droite.

Le vieil homme ouvrit la bouteille, l'orienta vers les quatre points cardinaux de la place et se mit à répandre un peu de liquide opalin à la droite du mât, un peu à sa gauche, quelques gouttes en son milieu, en répétant chaque fois : *apo lisa gbadia tâmerra dabô.* Ensuite il colla le goulot de la bouteille contre la paroi du mât. Après ces libations, il baisa trois fois le madrier et versa la farine de blé de l'un des sachets dans le creux de la main. Il traça sur le sol le *vevé*[1] de Baron-Samedi. Les spectateurs des premiers rangs virent se détacher en lignes blanches un grand triangle dont le sommet touchait la base du mât. L'homme prit ensuite d'un autre sachet une pincée de marc de café et dessina à l'intérieur du triangle une croix qu'il affubla d'un couvre-chef pareil au sien. À la droite du mât, il fit apparaître un cercueil, des tibias entrecroisés et les écus du Grand Pays Zacharien : une pintade montée sur une conque, sur fond noir et rouge. Nildevert alluma le cierge noir et le plaça sur un point à la base du triangle. Il figura ensuite, au marc de café, à la gauche du mât, l'effigie de la victime du sacrifice. Les spectateurs qui s'attendaient à voir les formes d'un

---

1. *Vevé* : dessin symbolique des attributs mythiques d'un *loa*.

taureau, d'un bouc ou d'un coq, découvrirent avec effroi les traits de l'ex-sénateur Henri Postel.

Ayant exécuté ainsi avec une symétrie impeccable les motifs qu'il voulait mettre dans son blason, Nildevert laissa choir lentement autour du mât de Baron-Cimetière une traînée de menus morceaux de bananes et de patates crues.

— Malheur à Postel, dit sor Cisafleur, s'il enjambe ces aliments crus.

— Ce *wanga*, dit maître Horace en colère, ne peut rien contre Henri.

— Ne parle pas comme ça, maître Horace, dit la femme. Regarde ! Je te dis qu'il s'agit d'un *envoie-mort*.

Nildevert fixait l'image sens dessus dessous du saint catholique et d'une voix nasillarde, lugubre, il prononça la prière suivante :

« Seigneur mon Dieu, nous venons chercher à perdre sur cette croix le bouc à deux pattes Henri Postel, ici présent, afin qu'il disparaisse comme devant la foudre et la tempête. Saint Expédit, vous qui avez le pouvoir d'*expédier* la terre et la mer et l'air, vous êtes un saint et moi je suis un pauvre pécheur. Je vous invoque, mon grand patron de toujours, suprême expéditeur des vivants et des morts. Je vous envoie chercher l'ex-sénateur Postel : expédiez sa tête trop pleine de mauvaises pensées, expédiez sa mémoire et ses couilles, expédiez sa ruse et son savoir rebelle, expédiez sa boutique de Tête-Bœuf, expédiez l'insolence de son *Gros-Bon-Ange*. Expédiez les rouges expériences de ses années d'exil en terre infidèle. Faites que sur ce

mât suiffé éclatent sous lui la foudre et la tempête.
En votre honneur, Grand Saint Expédit, je dirai :
trois Pater Noster. »

Nildevert dit les trois pater à genoux sous le
mât de cocagne, le cierge noir dans une main,
tandis qu'il agitait le hochet de l'autre main. Il
chanta :

> « *Baron-la-Croix, kimbé nhomme ça-a*
> *piga laguer'l.*
> *Moins river, oh !*
> *Baron-la-Croix, neg-cimetière*
> *qui pi fô pacer Bon Dieu.*
> *Mes amis nou pas jam ouê ça :*
> *You sénateur sou you mâ suiffé*
> *Baron-la-Croix quimbé nhomme ça-a* (bis) [1]

Ensuite l'homme perdit brusquement sa représentation d'officiant et une sorte de prophète
écumant de rage se dressa sur la place :

— Moi, Baron-Samedi, hurla-t-il, Roi Degonde,
neg-kraser-les-os, neg-kraser-les-mab, neg kasa mabila-
bila kogo, bila luvemba, sobadi sobo kalisso, par le
pouvoir de mes trois-pelles et de mes trois-pics,
par le pouvoir de mes trente-six couilles rouges et
noires, je choisis cet arbre pour *reposoir.* Malheur
au bouc-mulâtre-à-deux-pattes qui voudra le tra-

1. Baron-la-Croix, tiens l'homme que voici ! Ne le lâche pas.
Je suis arrivé, oh ! Baron-la-Croix, nègre de cimetière, tu es
plus puissant que le Bon Dieu. Mes amis, on n'a jamais vu ça :
un sénateur sur un mât suiffé. Baron-la-Croix, tiens l'homme
que voici ! (*bis*).

verser sans les visas du chevalier suprême de la mort violente !

Après son invocation, l'homme se leva, la barbe hérissée, les yeux lui sortant de la tête, le front criblé de sueur, le geste rageusement prophétique. Il fit trois pas en direction de l'endroit où Postel était assis :

— Papa-Caca, commença-t-il, tu as marché de terre en terre, de village en village, de maison d'exil en maison d'exil, porté par le mauvais vent de la rébellion. Partout où tu es passé, tu as été le rouge insulteur de Jésus-Christ. Tu es rentré dans ton pays natal pour être, toi Mulâtre Errant, l'insulteur du Président Zacharie. Moi, nègre-mazimaza, j'ai tracé ton dernier chemin sur cet arbre mien ! Quand même aurais-tu dans le caleçon cent paires de *graines* en feu, tu ne parviendrais pas à franchir la foudre et la tempête qui t'attendent dans le suif et le bois de ma justice debout ! »

Postel écouta sans broncher, le corps droit, le regard ironique et tranquille. Les yeux des spectateurs allaient du faux vieillard qui gesticulait avec son bâton noir et son hochet à l'ex-sénateur impassible, une expression affectueusement sardonique au visage, comme s'il était un psychiatre qui contemple et étudie la crise familière d'un de ses plus fantasques patients. Sor Cisa écrasait maître Horace de son volumineux corps. Elle avait les yeux pleins de larmes.

— Ne te désespère pas, répétait maître Horace avec tendresse, les fureurs de la magie noire ne peuvent rien contre Henri.

— Paix à ta bouche, suppliait-elle, enfonçant les ongles dans l'épaule du cordonnier.

Le possédé continua à faire des soubresauts, des cabrioles et des virevoltes devant l'ex-sénateur, échauffant sa transe et ses anathèmes qui montaient comme une soupe au lait dans l'enceinte du tournoi. Brusquement, Nildevert se rapprocha de Postel, brandissant la petite canne d'une main, agitant le hochet de l'autre. Puis Baron-la-Croix, irrité par le flegme de Postel, se fâcha pour de vrai. Il se précipita vers le mât, l'embrassa trois fois, lui porta des coups de dents. Ensuite, il se mit à remuer obscènement les reins contre le mât, mimant l'action de l'enculer. Il fit semblant de le grimper, imitant au sol les mouvements d'un grimpeur de cocotier. Alors Henri Postel se leva et interpella le jury en ces termes :

— J'exige qu'on dise clairement s'il s'agit ici d'une compétition sportive ou d'une cérémonie funèbre consacrée à Baron-Samedi ?

Des cris d'approbation accueillirent dans la foule les propos de Postel :

— Bravo, monsieur Postel, lança une voix de jeune femme, bien parlé !

Le Dr Alexandrin, confus, prit le micro et déclara :

— À vrai dire, Baron-Samedi n'était pas prévu dans le cérémonial de cette fête sportive. Son impromptu montre cependant que le peuple négro-zacharien n'aime pas qu'on défie impunément ses dieux et ses chefs tutélaires.

Quelques applaudissements crépitèrent sur la Tribune et dans la foule :

112

— Et maintenant, dit Merdoie, ravi par son succès, je vous invite, Baron-la-Croix très cher, à participer au programme sportif de la fête d'Électrification des âmes !

— J'écrase sous mes talons, comme ça, les couilles du programme sportif de la fête !

— Voyons, très cher maître, fit Alexandrin d'un ton douceâtre et conciliant, je n'ai pas dit ça pour te vexer. Ton *cheval* Espingel Nildevert est venu participer à un tournoi sportif. Laisse-le donc remplir sa mission.

— Je ne partirai pas, ricana le Baron. Que le tonnerre me fende en deux ! Pas avant d'avoir vu les couilles du nommé Henri Postel danser et se révulser dans une assiette comme les yeux d'un bouc décapité !

— Voyons, frère Baron-Samedi, sois bon garçon, ne complique pas notre tâche.

— Foutre-tonnerre, qu'on me donne à manger crues les couilles du bouc mulâtre qui est assis sur ce banc.

— Écoute, capitaine. Les gens protestent. Ils sont venus voir ton *cheval* grimper sur ce mât. Avec ton aide il est capable d'atteindre d'un seul souffle le sommet de ce *mapou*. Aide-le ! Monte, Espingel !

— Nildevert sur le mât ! Nil-de-vert sur le mât ! commença à scander un groupe de spectateurs.

La négociation du président du jury avec le *loa* en était là, au point mort, quand Barbotog, après un bref conciliabule avec le président Zacharie, quitta soudain sa place de la Tribune et descendit au pas de course vers l'enceinte du tournoi. Il se planta en face de Baron-Samedi. Les deux hommes échangèrent les saluts que font les dignitaires du vaudou quand ils se rencontrent en pleine cérémonie. Le ministre et le possédé levèrent les mains à la hauteur des yeux. Ils fléchirent ensuite les bras en se touchant réciproquement, d'abord le coude gauche, puis le coude droit.

— C'est assez pour aujourd'hui, vieux frère, dit Barbotog, je te demande de bien vouloir te retirer. Laisse ton *cheval* faire sa course.

Barbotog se pencha à l'oreille du Baron. Il lui murmura en riant quelque chose que personne n'entendit. À ces mots, les traits irascibles du cacique de la mort se changèrent en ceux d'un vieillard finaud et réjoui. L'homme fit une belle révérence devant Barbotog, sauta plusieurs fois sur les talons, perdit son équilibre au milieu de ses convulsions et, comme mû par un ressort, se rattrapa au dernier moment, les jarrets et les bras cassés. Sans cesser de chanceler d'un talon à l'autre, il se mit à se débarrasser de ses accoutrements. Espingel Nildevert reparut, protégeant de la main ses yeux, l'air soûlé, regardant humblement les gens, sans pouvoir récupérer ses esprits ni rien reconnaître de réel sur la place. De tout son corps en nage il tremblait comme si on venait de le repêcher d'une rivière glacée.

— Nil-de-vert sur le mât! Nil-de-vert sur le mât! criaient de nouveau des spectateurs.

À ces cris l'homme tourna sur lui-même, cher-

114

chant le mât. Il le reconnut vaguement, tituba vers lui, hébété, du pas d'un homme ivre mort. Deux soldats durent l'aider à regagner sa place. Il s'y affala, la bouche ouverte, en pâmoison.

— Silence ! Taisez-vous ! s'époumonait le Dr Parfait Alexandrin face au vacarme de la place.

Pas une seule bouche ne se taisait. Pas une main ne restait immobile. Chacun interprétait à grands coups d'ailes ce qui venait de se passer. L'intervention de Baron-Samedi brouillait les paris et les pronostics.

— Si j'étais Postel, dit un homme à son voisin, je m'en irais à toute bride de ce guêpier !

— C'est ce qu'il a à faire, s'il tient à sa peau.

— Baron-Cimetière le veut cru et sans sel !

— Ce n'est plus un mât suiffé, mais le dos même de la mort !

Quant à sor Cisafleur, elle était effondrée. Elle pleurait sans retenue, assistée de maître Horace et d'un jeune homme qui lui faisait de l'air avec un bout de carton.

— Ça tourne très mal, gémissait-elle. Grâce la miséricorde ! Baron-Samedi a soif. Il veut le sang frais de Postel !

Elle maugréait, récriminait à voix basse, entre les dents, avec des bouts de phrases incohérentes. «Il faut agir, foutre ! Papa-Loko a plus de *graines* que Baron-Samedi ! Cet Espingel est un homme à eux, je te le dis. Il a au corps toute la saloperie de la terre, fit-elle.

— Regarde plutôt notre Henri, dit maître Horace. A-t-il l'air de quelqu'un qui a été *expédié*? Au-dedans de lui-même, il est en train de pousser

115

plus droit et plus fort que le *mapou* de Baron-la-Croix !

— Moi, dit sor Cisa, je vois en lui un innocent. Il n'était pas né pour vivre parmi les bêtes féroces. Son cœur est resté un bon petit garçon. Maintenant seul Papa-Loko peut le tirer de son mauvais pas.

Sor Cisafleur se signa trois fois et se composa soudain une contenance rageuse et dure.

— Silence ! continuait à hurler Alexandrin. La compétition n'est pas finie. On est arrivé seulement à la seconde mi-temps. Chaque monteur doit encore tenter sa chance. Vous êtes sommés de vous taire, foutre-tonnerre !

À ces mots il se fit un calme relatif sur la place. La foule obtempérait lentement aux sommations réitérées du président des Jeux.

— À qui le tour ? criait-il. Qui veut relever le défi de maître Baron-Samedi ? Allons, où est le brave des braves prêt à risquer sa peau sur ce *mapou* ?

À ces mots, il regarda perfidement Henri Postel. Les huit hommes ne bougeaient pas. Presque tous prirent un air absent, faisant semblant de ne pas entendre. Postel, lui, observait, au même instant, le cierge qui brûlait auprès du mât, saint Expédit toujours suspendu la tête en bas, le triangle sacré, le collier de bananes et de patates douces, et sa propre image figurée sur le sol par de fines volutes de marc de café ; « ce sont les yeux fous du Grand Pays Zacharien », songea-t-il.

— Allons, messieurs, décidez-vous donc. S'agit-il d'un forfait collectif ? Qu'avez-vous sous la braguette ?

«Le cochon de fils de putain, pensa Postel. Si on lui demandait d'enjamber les dessins de Nildevert, il serait le premier à faire dans son pantalon. C'est l'heure d'agir.»

Henri Postel se leva et comme à sa première entrée en scène, il alla vers maître Horace se dégraisser les mains.

Sor Cisa s'accrocha aussitôt littéralement à sa chemise et lui souffla à l'oreille :

— N'essaye pas de monter maintenant, sénat chéri. Ta fin rôde sur ce *mapou*.

Sor Cisa déplia un mouchoir et épongea le visage humide de l'homme.

— Papacito, dit-elle. Attends jusqu'à demain pour grimper de nouveau. Ce mât est un guet-apens !

Des inconnus donnaient le même conseil à Postel :

— Monsieur Postel, laisse quelqu'un d'autre traverser le travail de Nildevert.

— Il n'est pas prudent que tu montes maintenant !

— Laissez-le donc suivre son chemin, intervint rudement maître Horace, tandis que Postel, le talquage terminé, marchait fermement en direction du *poteau-mitan* du Chef Spirituel à Vie.

Il commença par éteindre le cierge noir, soufflant dessus. Il enjamba ensuite le collier de bananes et de patates crues. Il détacha l'image de saint Expédit qu'il alla déposer sur la table du jury. Il fit tout ça sans le moindre air de provocation dans ses gestes.

Il appliqua sur le mât la combinaison qu'il avait essayée à la fin de la première mi-temps. Premier mouvement : le corps en arc, l'effort portant sur les bras, les épaules, les membres inférieurs. Deuxième mouvement : pleine étreinte du mât, faisant participer l'organisme entier à la tension de la montée. L'exécution du premier mouvement marcha bien. L'homme franchit un espace précieux. Mais au moment d'étreindre brusquement le mât, il se déséquilibra, glissa, évitant de justesse une nouvelle chute.

— Cet homme grimpe avec son cercueil sous le bras, dit quelqu'un.

— Il a un *point chaud* sur lui, cria un autre.

Postel respira profondément et contre-attaqua. Il observa la même technique, attentif à réussir à la perfection le passage d'une position à une autre. Le mât lui opposait une résistance colloïdale, gélatineuse. Son visage n'était plus qu'une horrible grimace, avec le citron qui lui déformait la bouche. Il avait les yeux injectés. Après trois minutes environ de montée, il fit une brusque détente et attrapa le mât sans perdre cette fois l'équilibre.

Il resta un moment immobile, tâchant de respirer, adhérant au poteau, du menton à l'oreille. Il éclatait. Il se pelotonna lentement ramassé sur le tronc comme un enfant dans un ventre de femme. Il étira avec force les membres inférieurs. Il s'éleva. Il mit du temps à répéter la difficile manœuvre. Il ondula encore un peu. Il était au milieu du mât de cocagne, à quelques centi-

118

mètres au-dessus de l'endroit qu'il avait atteint la première fois. Il se raidit, serrant la mâchoire à la briser. Il sentit un goût âcre dans la bouche. Hop, une nouvelle détente : il dépassait de plusieurs degrés son propre record de l'après-midi. Il suffoquait. Il se laissa glisser. Une fois au sol, il perdit pied. Il s'étendit de tout son long au-dessus du triangle de Baron-Samedi. Il se releva aussitôt : il était debout juste au-dessus de sa propre image. Il fit de petits sauts pour combattre la crampe de ses extrémités.

— Vive Postel ! fusant de partout de la foule, ces cris couvrirent les railleries des adversaires de l'ex-sénateur.

Le Dr Alexandrin vociférait dans le micro pour essayer d'étouffer l'enthousiasme de la multitude, tandis que Postel regagnait humblement sa place.

— Qu'un nègre pur et sans reproche relève le défi, hurla-t-il. Allons. À qui le tour ?

Les autres monteurs restaient impassibles à leur place. Aucun d'eux ne voulait s'aventurer sur le *mapou* de Baron-Samedi sans se mettre préalablement à l'abri du danger de mort qui planait dessus. Nul ne s'expliquait encore que Postel se soit tiré sain et sauf de sa dernière tentative de montée.

De guerre lasse, le vice-ministre dut, une fois encore, aller consulter ses supérieurs de la Tribune. Le ciel avait des teintes de plus en plus violâtres. Le mât était constellé de reflets d'opale. L'homme revint avec les instructions suivantes :

— D'ici peu il fera complètement nuit, dit-il.

Comme personne ne se décide à continuer le combat nous donnons pour terminé le premier jour du mât de cocagne. Celui-ci reprendra demain après-midi 22 octobre, jour de chance de l'Être Immatériel qui répare les erreurs des Négro-Zachariens. À demain, fières cohortes de Papa-Zoo !

Des cris d'approbation accueillirent ces propos. Maître Horace et sor Cisafleur, protégeant Postel des admirateurs et des curieux, le mirent dans un taxi pour l'accompagner à sa maison de Tête-Bœuf.

Dans la soirée, sor Cisafleur pénétra en trombe dans « L'arche de Noé » avec une très jeune femme. Dans la pièce éclairée au pétrole, Postel était en train de bavarder avec maître Horace. Sor Cisafleur fit aussitôt les présentations :

— Elisa Valéry, ma cousine, dit-elle, toute rengorgée de fierté.

Postel tenta de se lever, mais il avait mal à toutes ses articulations. Il se souleva sur un coude et tendit la main :

— Soyez la bienvenue. Vous êtes le soleil dans toute sa gloire !

Ils rirent tous les quatre. Maître Horace serra à son tour les mains d'Elisa :

— Enchanté. Je partage l'opinion de sénat Postel.

— Enchantée moi aussi. J'étais sur la place cet après-midi. J'ai failli perdre la voix à acclamer monsieur Postel.

— Je vous remercie. Vous n'aurez plus à

prendre pareil risque. Vous avez vu : mes muscles rompus ne répondent plus.

— Qu'est-ce que tu racontes là, sénat, intervint sor Cisa. Demain tu seras encore plus ingambe sur ton mât. Allons, maître Horace, viens m'aider à porter ce qu'il faut pour la *contre-expédition*. Toi, Elisa, pendant ce temps, tiens compagnie à notre voisin.

Postel et maître Horace échangèrent un regard de complicité. Juste avant l'arrivée des deux femmes, ils parlaient de la *contre-expédition* de sor Cisafleur.

— Je me prête à son «traitement» comme à une séance de physiothérapie. D'ailleurs dans le vaudou, il y a, à la fois, de l'hygiène et du psycho-drame. Ne le crois-tu pas ?

— Je suis de ton avis, chef. Et puis si la cousine est belle, un bain d'hormones fraîches, ne serait-ce que pour les yeux, n'est pas à dédaigner.

— Les masseuses sont rarement belles, il avait répondu à Horace.

Maintenant il regrettait ces mots qui profa-naient Elisa Valéry. Ça faisait plus de cinq ans qu'il n'avait pas vu une femme-jardin. Paméla avait été une femme-jardin. Depuis sa disparition, le désert. Plus personne à qui lancer : «Vous êtes le soleil dans toute sa gloire !» Quel être humain était-elle ? Elle vivait par sa bouche à la perfection humide, ses seins haut situés, au prodige rond et plein ; par la courbe que faisait sa chair à la nais-sance des cuisses et des jambes qu'elle avait nettes et lisses. Elisa était là, assise à côté du lit de camp.

121

Elle venait tout droit du chaud et du tendre, du délicieux et du modelé lyriques de la vie. Elle ne parut nullement étonnée qu'il ne dise pas un mot et se contente seulement de la *vivre* par les yeux. Pas une trace de surprise dans son visage de femme-jardin tandis que son regard d'homme s'aventurait comme un rossignol dans le beau temps qu'il faisait partout en elle. Sa bonne électricité de négresse pénétrait en lui et transfigurait le mauvais mobilier, les barriques vides, les régimes de bananes et les *macornes* de maïs suspendus au plafond, les vieilles boîtes de saindoux, la macédoine lugubre qui lui tenait lieu de chambre. Son soleil venait du plus noir de la beauté rajeunir le temps et l'espace d'un zombie. Elle nouait son nombril à l'homme qu'il avait cessé d'être depuis qu'on avait tué ses couilles, le soir du martyr des siens, à la lueur du coq rouge, qui piaffait dans le ventre ouvert de sa Paméla. Elle le disputait farouchement aux mouches et à la réverbération douloureuse des mille huit cent vingt-cinq jours qu'il venait de supporter à Tête-Bœuf. L'infini-Elisa le nettoyait de la ville, de sa poussière, de ses bruits, de ses horreurs onédozachariennes. Elle le lavait, le désintoxiquait, le dessoûlait et l'admettait dans l'ordre tout en courbes joyeuses de sa jeunesse. Il pressentit jusqu'à l'évanouissement tout le bien qu'elle apportait, ce qu'était son magnétisme de femme, de quoi avait l'air sa merveille, et sans un mot il la tenait et la serrait contre sa vie de tous les bras de sa solitude, de l'impuissance et de la fureur de

122

l'homme qu'il était devenu. Sa joie se gonflait avec les seins d'Elisa, s'arrondissait avec ses fesses et se pommait follement avec le triangle du milieu de son corps. Postel vivait ainsi chaque facette du diamant noir d'Elisa jusqu'au moment où s'éleva dans la cour la voix de sor Cisafleur.

— Quel silence ma parole, dans cette maison ! Cousine Elisa — Oh ! Papa-Loko aime entendre des joyeusetés de jeune femme dans son feuillage ! allons, sénat Postel, ne me dis pas que tu es resté sans voix ni gestes devant la négresse-soleil que j'ai amenée sous ton toit ?

Sor Cisa et le cordonnier revenaient escortés d'un charpentier du voisinage connu sous le nom de Cornélius Sébastien.

C'était un nègre entre deux âges, de taille moyenne, râblé, le cou rentré dans le torse, le visage un peu cabochard. Il avait une pipe en terre cuite au coin de la bouche et une canne à la main. Il était vêtu d'un pantalon de toile marron, au bas étroit, avec des coutures apparentes au fil blanc. Sa chemise était rose avec d'énormes poches piquées de gros points noirs. L'homme, à peine entré dans la pièce, après avoir dit « bonsoir tout le monde » et promené sur Elisa et sur Postel un œil vif, dur, volontaire, fit mine de battre en retraite vers le seuil comme s'il s'était trompé de porte. Mais sor Cisa le prit affectueusement par l'épaule et lui dit :

— Loko Roi Nago, tu es chez Henri Postel, un chef de bonne qualité. Ton *cheval*, compère Cornélius Sébastien, a de l'admiration pour lui. Cet

après-midi un charognard du nom d'Espingel Nildevert, s'est servi de la main gauche de Baron-
Samedi pour jeter une grappe de morts dans le
sang de notre ami. Avec le consentement de ton
cheval je t'ai fait chercher ce soir pour que tu
brises la conjuration qui pèse sur le sang de ce
meneur d'hommes.

À ces mots le visage du *loa* s'adoucit. Il fit un
pas vers le lit et s'inclina en portant respectueusement la main droite à la poitrine. Sor Cisa ajouta :

— Permets-moi de te présenter également ma
cousine Elisa Valéry. La beauté de ses mains est
du parti de la sève qui monte. Elle est venue aussi
participer au réveil d'Henri Postel.

Loko-Miroir salua Elisa d'une profonde révérence et se retourna vers Postel :

— Que puis-je faire pour mon frère ?

— Mets des grâces de pivert, de lézard ou de
papillon dans son jeu de bon chrétien-vivant !

— Dans cette *caille-mystère*[1], dit le *loa*, je ne vois
rien de ce qui fait le contentement de mes yeux et
de ma bouche.

— Nous avons des offrandes pour toi, Papa-
Loko, dit sor Cisa. Voici du maïs et des cacahuètes
grillés, des gâteaux de miel, de l'*acassan* au sirop,
du riz au lait, de la cassave, des aliments crus, des
friandises et une pleine bouteille de *kimanga*[2].

— Si tout est prêt, qu'est-ce qu'on attend pour
commencer ? demanda Loko.

---

1. Caille-mystère : maison consacrée du *loa* ou mystère.
2. *Kimanga* : boisson rituelle du vaudou.

— *Abobo ! Abobo !* répéta plusieurs fois sor Cisa.

Elle ceignit ses reins d'un foulard de satin vert et retroussa à mi-cuisse sa robe de cotonnade blanche

— Maître Horace, dit-elle, donne-moi de la cendre et du marc de café. Toi, Elisa, va dans la cour préparer les chandelles. Mets aussi de l'eau à bouillir.

Sor Cisa prit les deux assiettes que le cordonnier lui tendit et commença à tracer le *vevé* de Papa-Loko sur le sol cimenté de la pièce. Elle dessina plusieurs cercles, avec au centre de chacun d'eux les contours bien ouvrés de l'emblème végétal du *loa*. Ensuite sur chaque arbre elle esquissa des grappes de fruits et des nids d'oiseaux.

Loko la regardait faire d'un air amusé et approbateur. Il avait les jambes écartées, les deux mains appuyées sur la canne. De temps en temps il tirait de grosses bouffées de sa pipe et les soufflait sur les dessins. Il marquait de cette façon son approbation, à mesure que la femme parachevait ses broderies, inventant de nouveaux motifs qui correspondaient à l'identité mythique du *loa*, dans un langage né, tout frais, du sursaut spontané du merveilleux et du réel.

On entendit Elisa s'affairer dans le patio. Maître Horace s'était approché du chevet de Postel où il s'était assis sur un petit banc. L'ex-sénateur lui disait tout bas :

— J'étais en train de penser qu'il n'y a pas deux pays au monde comme le nôtre. Figure-toi, mon cher, qu'il y a une quinzaine d'années, en compagnie des savants français Albert Métral et Pierre-Lorris Mabillon, j'ai assisté à Léogâne, au fameux sanctuaire de madame Noémi Mariel, à une cérémonie similaire de « contre-expédition ».

« L'homme qui y était soumis était un nommé Probus Dieudonné. Le diagnostic de sor Noémi était formel : un ennemi de Probus avait "envoyé" dans son corps "trois morts alcooliques". La maladie qui le séchait sur pied était le résultat du macabre sabbat que les trois bambocheurs menaient en lui.

« Probus Dieudonné était originaire de la vallée de Marbial. Petit-fils du célèbre *bokor*[1] Examen Dieudonné, il avait reçu de son grand-père le don de "faire à volonté la pluie et le beau temps dans la région". À quinze ans, il était connu comme "le plus grand marchand de pluie du Sud-Ouest".

« On disait qu'il possédait sous son lit un dépôt de bouteilles qui contenaient les principes de la pluie, du soleil et du vent. À lui seul Probus était tout un service de météorologie. Il vendait la pluie à raison de cinq *gourdes* ou un dollar une ondée ; cinq dollars une bonne averse ; cent dollars une journée de pluie ; dix dollars un petit matin bien brillant de rosée. Le jeune jettatore avait plus de clients que de bouteilles. Les paysans qui n'avaient pas d'argent payaient en maïs, patates, courges, ou haricots. On admirait la précision avec laquelle Probus pouvait "amarrer la pluie" juste au-dessus du champ auquel elle était destinée, sans mouiller

1. *Bokor* : *Hougan* qui pratique de la magie noire.

d'une seule goutte le champ limitrophe. Nul ne pouvait lui frauder son eau. L'homme, disait-on, connaissait le latin des nuages qui courent dans le ciel. Il lui suffisait de quelques mots pour les orienter vers le jardin à arroser. Probus perdit sa réputation lors d'une horrible sécheresse qui s'abattit sur la vallée. Nulle bouteille ne répondit à ses appels. Même le principe de la pluie s'était desséché. Un après-midi une colonne de paysans attaquèrent à coups de pierre le "faiseur de pluie" aux abois. Il eut la vie sauve en quittant pour toujours son morne natal.

« Il me revient comme si c'était hier soir, les détails de "l'expulsion du trio d'ivrognes" du corps de Probus. On l'avait allongé dans le péristyle du *houmfort*[1] sur une natte perpendiculaire au *poteau-mitan*. On lui avait mis une grosse pierre noirâtre sous la nuque. Le jeune homme devait souffrir d'une hépatite grave car il avait le teint cireux, les yeux roussâtres et éteints, les joues hâves et creuses, les membres prostrés. On avait du mal à croire, comme ses proches le racontaient, qu'il avait été, peu de temps auparavant, l'un des plus robustes dockers du warf de Port-au-Roi. Dans le *vevé* dessiné à ses côtés, on voyait la même écriture funèbre que Nildevert m'a dédiée sur la place, cercueil, croix, pelle, pic, marteau, clous et tibias entrecroisés.

« Je revois, en cet instant, l'expression de cheval innocent et vaincu que "l'ex-amarreur de pluie"

1. *Houmfort* : sanctuaire ou temple vaudou.

eut à la fin de la cure, quand la mambo lui passa une sorte de chemise toute blanche à manches rouges. J'eus alors traité de fou celui qui m'eût prédit qu'un soir de ce pays, Henri Postel, ancien élève de Sciences Po et de la Sorbonne…

La forte voix de sor Cisa interrompit le récit de Postel.

— Maître Horace, dit-elle, ce n'est pas le moment de "bailler des audiences" avec sénat Postel. Dis à Elisa d'apporter les bougies. Papa-Loko vous demande de quitter vos hardes et de les remettre à l'envers.

Le *loa* approuva vivement de la tête.

Elisa entra. Elle confia les chandelles allumées à la *mambo*. Postel et maître Horace s'occupèrent à retourner leurs vêtements. Elisa ressortit pour faire de même. Dans l'obscurité de la cour, elle inversa soutien, slip, minijupe et chemisier. Sor Cisa fixa les cierges, deux noirs et trois blancs sur les points qu'elle estimait stratégiques du *vevé*. Elle saisit un paquet de feuilles vertes et l'orienta vers les quatre points cardinaux en récitant :

> *Au nom de Loko Danyiso*
> *Au nom de Loko-pomme-d'Adam*
> *Postel aura des couilles de lion*
> *Pour vaincre les fureurs du mât*
> *Ago, Agosy, Agola !*

Après ces invocations la Cisafleur prit Loko par la main. Elle le fit pirouetter lentement devant le lit de Postel et improvisa le chant suivant :

Je suis la tête fraîche des arbres
Je suis Loko-Postel
le général Loko Silibo Vavoun
Je suis la clef du long chemin d'homme
qui brille jour et nuit sous ses pieds
le soleil nous suit pas à pas, agoyé!

Le *loa* manifesta joie et fierté à l'écoute des paroles qui célébraient ses pouvoirs. Il se détacha de sor Cisa pour danser seul. Il n'était plus un nègre trapu avec un cou de taureau, ni un petit charpentier de Tête-Bœuf, mais un *papa-loa* qui s'engageait avec grâce dans les chemins africains de son esprit et de son corps. Il dansait le corps incliné, bras et jambes légèrement pliés, avec un jeu frémissant du dos et des épaules. Tantôt il avançait, tantôt il reculait, faisant glisser latéralement les pieds. Tout à coup il attira Elisa : elle fit immédiatement corps avec le rythme qui montait et descendait dans la voix de sor Cisa. Les ondulations des épaules et des reins d'Elisa, ses entrechats, ses fléchissements de genoux, rivalisaient de feinte et de fantaisie avec le ballet félin de son partenaire. Elle releva des deux mains le bas de sa minijupe et se mit à le baisser et à l'élever sans cesse. Sa chair, partout dure, pleine, lyrique, ondulait, se cambrait, s'arrondissait, en mesure. Postel la regardait, fasciné. Depuis des années, il n'avait vu flamme aussi belle grimper dans sa nuit d'homme. Les cordes d'un arc enchanté s'étaient substituées à ses nerfs en feu.

Quelques instants après sor Cisa cessa de chanter. Elle ouvrit une bouteille, se remplit la bouche d'une lampée de son contenu. Au lieu de l'avaler, elle en vaporisa le visage de Papa-Loko. Le saint *loa* recula de plaisir. Sor Cisa répéta la vaporisation de *kimanga* sur Elisa, maître Horace et Postel. Chacun se mit à éternuer, les yeux larmoyants, dans une piquante odeur de tafia, de pimprenelle, de piment. Loko se pencha sur Postel. Il le souleva du lit. Il frotta lentement son front contre le sien. Il lui saisit les mains. Il les éleva, à trois reprises vers les points cardinaux et demanda à sor Cisa de les vaporiser. Loko répéta la même opération avec les pieds de Postel. Sor Cisa sortit précipitamment de la pièce. Elle revint aussi vite avec un coq et une poule qu'elle s'empressa de confier au *loa*. Papa-Loko invita Postel à enlever chemise et pantalon. L'ex-sénateur s'exécuta. Il apparut en caleçon.

« Ça y est, on me déguise en cadavre », songea-t-il.

Il se vit, dans un éclair, la mâchoire bandée, des tampons de coton aux narines et aux oreilles, les orteils liés ensemble avec du sparadrap, la poule et le coq dévorant sur son corps de petits tas de maïs grillés. Mais comme si sor Cisa avait deviné sa pensée, elle dit :

— Papa-Loko, comme le temps presse, simplifions au possible le traitement de ce soir.

Le *loa* fit seulement semblant de semer des grains de maïs sur le front, la poitrine, le ventre et les mains de Postel. Puis il approcha la poule et le coq de cette nourriture imaginaire. Les oiseaux, tous les deux couleur de feu de bois, ouvraient des yeux ahuris et déçus. Papa-Loko, après les avoir *signalés*, les frotta, à tour de rôle sur Postel, comme une paire de gants vivants. L'homme sentait le contact chaud et soyeux des plumes contre sa chair nue. Tout en faisant son massage, Loko murmura :

— Allez-vous-en de ce corps de qualité, sales bâtards de morts. Suivez votre chemin sans regarder en arrière. Cet homme n'est pas une bauge pour vos groins de cochons-sans-poil ! Partez d'ici, bande de nègres malfaisants !

Sor Cisa qui suivait de près ce « travail d'expulsion des morts » ajouta :

— Que tout ce que Nildevert a envoyé de mauvais dans ce corps foute le camp. Seules la force et la beauté de la terre doivent travailler le sang de ce vaillant garçon ! Baron-Samedi, Postel n'est pas un carrefour pour vos saloperies !

Elisa et maître Horace, au pied du lit, observaient la scène, médusés. Le *loa* tendit la poule à sor Cisa. Il écarta brusquement les cuisses de Postel. Il y plaça le coq, la tête tournée vers les parties de l'homme. Il maintint fermement l'animal dans cette position. Il dit d'une voix grave :

— Ici commence la force des lions vainqueurs de la terre !

— Ici commence le devant-jour des nègres-lumière ! ajouta sor Cisa.

— Ici commence la bonne tempête ! fit le *loa*. Oh Legba-Kata-roulo, saint nègre d'Afrique, je te demande l'audace du tigre pour les couilles de ce chrétien-vivant !

— Aïe, papa-Legba, Alegba-papa, gémit sor Cisa, aide ton fils ici présent à expulser les *bakas*[1] qu'on a collés à ses os !

— Et toi, dit le *loa*, Ayizan, Ayizan Bélékou, toi qui portes la couronne d'épines du Christ, je te demande la dignité du lion pour les membres de ce chrétien-vivant !

— Et vous tous les *loas radas* de l'Afrique à nous, maître Agoué, maîtresse Erzili Fréda Dahomin, Ogou nègre-saint-Jacques-le-Majeur, Badagris qui tiens l'orage dans ses dents, et toi Chango, gouverneur des bas-ventres, roi toujours bien bandé, et toi Olicha, grand connaisseur des plantes, aidez cet homme à monter tout droit vers le soleil-levant !

Postel vivait une sorte de dédoublement de sa vie : il était projeté quinze ans dans le passé, dans la peau de Probus Dieudonné. Rien n'avait bougé dans l'histoire du pays depuis cette nuit-là. Tout était resté à la même place. Il était « un amarreur de pluie » que trois morts alcooliques tenaient dans leurs griffes sur les quais de Port-au-Prince. On le débarrassait de ses hôtes. Il allait retourner à son commerce de nuages dans la vallée de Marbial. Un *loa* allait-il s'emparer de sa tête ? Une forte envie de rire tournoyait en lui. Il était un Probus qui cessait de mettre en vente des bouteilles de pluie et de rosée. Il les distribuait gratuitement à la vallée de Marbial, à tous les mornes

1. *Bakas* : génies du mal.

132

du pays, aux montagnes de la Caraïbe, à celles du monde entier…

Papa-Loko dégagea le coq à moitié étouffé. Il le tint un moment la tête en bas. Il saisit la poule des mains de sor Cisa. Il la suspendit au-dessus de la ceinture de Postel. Il se mit à les croiser et à les décroiser. Puis, d'un geste dédaigneux, comme on jette des objets dégoûtants, il les lança à travers la porte ouverte, dans un froissement de plumes et de cris.

Ensuite sor Cisa, aidée de maître Horace, porta au bord du lit une auge en bois, une *gamelle*, qui contenait le « bain de charme ». L'eau chaude sentait le jasmin, l'oranger, et les autres ingrédients aromatiques qui entraient dans sa composition. Au lieu d'y plonger Postel, Loko se contenta de lui faire de légères ablutions. Il lança également quelques gouttes sur Elisa, sur le cordonnier et sor Cisa.

Le bain terminé, sor Cisa prit une serviette et sécha le corps ruisselant de Postel. Elle aida le *loa* à verser dans une assiette un mélange d'encens, de tafia et d'assa-fœtida. Cisa fit craquer une allumette. Le contenu de l'assiette s'enflamma, Loko y porta sans hésiter la main. Les flammes ondulaient comme de petites couleuvres bleuâtres sur ses doigts. Il se mit à frictionner énergiquement les membres de Postel. Il s'attarda aux mains, aux genoux, aux pieds, en répétant :

— Qu'il soit un homme-liane sur son mât !

— Un homme-papillon sur son mât ! dit sor Cisa.

— Un homme-pivert-liane-papillon ! renchérit le *loa*.

Loko demanda la bouteille de *kimanga*. Il prit une pleine gorgée. Il souffla vigoureusement sur les articulations et les principaux muscles de Postel.

— Maintenant, Henri Postel, homme-flèche-d'acier, levez-vous et suivez-moi ! ordonna le *loa*.

L'homme se leva sans difficulté du lit. Il suivit Loko dans la cour. Sor Cisa les avait précédés. Elle venait de creuser un trou plutôt symbolique. Elle prit sept demies d'oranges évidées, les remplit d'huile palma-christi, y ajouta des mèches de coton qu'elle alluma aussitôt. Elle plaça les sept lumignons autour du trou, de même que les offrandes qu'elle avait apportées pour Loko. Ensuite le *papaloa* et la *mambo* s'agenouillèrent au bord du trou :

— Par permission du bon Dieu et des saints de l'Afrique à nous, dirent-ils ensemble, Henri Postel aura l'agilité et le savoir-faire dont il a besoin dans son combat sur le mât suiffé.

— La demande est accordée, cria Loko, en faisant une joyeuse pirouette sur lui-même.

— Grâce la miséricorde ! s'exclama sor Cisa.

Elle prit Postel à tour de bras, le souleva du sol, le pliant, avant de l'embrasser sur les deux joues. Elle embrassa également Papa-Loko, maître Horace et Elisa. Elle jubilait :

— Le bon Dieu n'est ni onédiste ni négro-zacharien, cria-t-elle. La miséricorde des *loas* d'Afrique est avec nous !

Elle se baissa, trempa le pouce dans l'huile qui

brûlait et traça joyeusement des signes de croix sur le front, le ventre, la poitrine, les bras et les genoux de Postel. Elle plongea la main dans la braguette de l'homme et traça aussi une croix d'huile chaude sur ses testicules :

— Te voici un nègre tout neuf ! Tu es Henri Postel, l'homme que tu es !

Elle regarda ensuite du côté où la poule et le coq s'étaient perchés. Elle se précipita sur eux, les saisit par les pattes, les agita une fois de plus, la tête en bas, au-dessus de Postel, et les assujettit dans le trou tandis que Papa-Loko en un clin d'œil les ensevelissait vivants !

Ils regagnèrent tous l'arrière-boutique de « L'arche de Noé ». Papa-Loko aussitôt dans la pièce s'effondra sur une chaise. Sa mission terminée, il cédait de bon gré la place à son *cheval* qui devait reprendre le trot habituel de sa vie de Cornélius Sébastien. Celui-ci ouvrit des yeux de charpentier éberlué et exténué. Il revenait, fourbu, de son séjour dans l'idéale Guinée de la vie.

— Maître Horace, dit sor Cisa, accompagne compère Cornélius jusqu'à sa maison. Elisa et moi nous avons besoin de rester seules avec sénat Postel.

Comme le cordonnier ouvrait la bouche pour protester, sor Cisa reprit :

— N'aie pas peur. Nous n'avons pas l'intention de l'épuiser. Il se reposera encore mieux après ce que nous allons lui faire. À demain, frère Horace. À demain, compère Cornélius. Tu as cavalé ce soir un Loko de toute beauté !

Maître Horace aida le charpentier à se lever. Il

135

lui donna le bras et les deux hommes sortirent sans dire un mot.

— Pourquoi les as-tu chassés? demanda Postel à Cisa.

— Ce qui vient, dit-elle, ne regarde que nous trois. Tu dois retrouver le rythme et le grand feu de combat du jeune Henri Postel.

— Où tu as pris que je ne les ai plus? dit Postel.

— Écoute, sénat, fit la femme, sor Cisa comme tu la vois est bien plus que sor Cisa. Au premier coup d'œil sur n'importe quel mâle, je peux dire s'il bande bien ou non. Dans ton cas, ce n'est pas une honte. Nous savons le mal qu'on t'a fait.

Postel avait la tête baissée, tout confus, ne sachant que dire.

— Ma cousine Elisa n'est pas une fillette. Elle est une vraie femme.

— Je le sais, dit Postel.

— Comment? fit sor Cisa. Tu n'as encore rien vu d'elle.

— Je le sais, répéta Postel.

Elisa, appuyée sur la table, riait la tête rejetée en arrière, les lèvres humides, les yeux grands ouverts, les cuisses et les seins « en-démons », pensa Postel.

— Allonge-toi, comme tout à l'heure, dit sor Cisa. Enlève-moi ton vilain caleçon.

Postel regarda la *mambo*, interloqué.

— Est-ce bien nécessaire? demanda-t-il.

— Oui, sénat chéri, enlève-le, ça vaut mieux. Tu dois recevoir ton massage tout, tout nu.

Postel fit glisser le caleçon le long de ses jambes.

Sor Cisa tira aussitôt un flacon de son corsage fourre-tout. Postel jeta sur lui un regard soupçonneux.

— Rassure-toi, dit-elle, ce n'est que du liniment. Le charme est dans les mains que voici.

Elle leva dans la lumière les mains d'Elisa.

— Que dis-tu de ces deux merveilles, chef?

— Des mains de fée, dit Postel.

— Ah, ah, ah, écoute-moi ça! Tes mains sont des fées, Zaza! Mets-les donc au travail!

Elisa prit en riant le flacon que lui tendit la femme. Elle versa un peu de liniment dans le creux de la paume. Elle se pencha sur le corps nu de Postel. De l'extrémité de ses doigts, elle commença à remuer en douceur le gras de la peau, sans l'écraser, en le drainant dans le sens ascendant. Les ligaments des omoplates et de la nuque se plissaient sans difficulté, car les vaisseaux et les nerfs n'étaient pas engainés autour des articulations de l'épaule.

Avec son tour de main professionnel, elle massa ensuite les bras, le ventre, les membres inférieurs de l'homme. Malgré les excès d'alcool, la vie horriblement sédentaire de Tête-Bœuf, le manque d'hygiène alimentaire et physique, Postel avait encore des pores apparents, un derme épais, des fibres élastiques. Le corps de l'homme avait résisté à l'empâtement malsain. Il n'y avait pas trace de cellulite sur la face postérieure des bras, ni à la nuque, ni même aux hanches et à l'abdomen. À ces endroits, l'embonpoint de Postel était une simple adiposité, sans indurations ni nodosités dans les tissus. À mesure qu'Elisa pinçait et plissait la peau, ses surfaces restaient lisses ou se sillonnaient de fugaces traits pâles. Seulement à la face externe des cuisses et aux genoux les tissus s'étaient distendus et des placards de cellulite formaient un capitonnage comparable à une peau d'orange amère. Elisa s'arrêta plus longtemps à ces zones : ses mains expertes allaient et venaient en souplesse, pétrissant fortement les noyaux indurés, Postel, les yeux fermés, contractait la mâchoire, serrait les dents, pour dissimuler les douleurs qui lui montaient des points litigieux de son corps.

Sor Cisa, au pied du lit, observait le massage avec des lueurs d'intense tendresse dans les yeux. Elle se mit à fredonner, tout bas, une vieille berceuse. La voix chaude de la *mambo* ramena Postel loin dans le passé vers de tendres soirées de Jacmel où, à l'occasion d'un rhume de cerveau ou d'une indigestion, il recevait de sa mère des frictions d'huile parfumée.

— Retournez-vous, s'il vous plaît, dit Elisa, quand elle eut fini de masser les jambes de Postel.

Celui-ci se mit à plat ventre, offrant aux deux femmes une colonne vertébrale bien droite que protégeaient, de chaque côté, des lombaires encore saillantes, dans un dos ferme et frais.

— Monsieur Postel, dit Elisa, vous avez seulement épaissi. Vous ne souffrez pas d'obésité. Vous **êtes encore** un homme vigoureux.

— Si vous m'aviez vu à trente et même à quarante ans. J'étais un costaud, n'est-ce pas, sor Cisa ?

— Il fallait le voir, Zaza. Sénat Postel était un

bel animal d'homme. La dernière fois où tu pris la parole à Tête-Bœuf, à la fin de 56, à la chute du président Magloire, nous étions, dans la foule qui t'écoutait, plusieurs femmes que tes bras renvoyaient à l'émotion de leur premier péché mortel. À croire que le bon Dieu avait créé les bras du nègre par le pressentiment qu'il avait qu'il y aurait un jour sur terre les gestes d'Henri Postel. Parmi nous, il y avait, cet après-midi-là, un morceau de femme tout en rondeurs joyeuses, Vanessa qu'elle s'appelait. Elle jura tout haut qu'elle donnerait volontiers un de ses seins à couper en échange d'une nuit dans ces bras-là. Tu vois qui c'est, sénat?

— Non, dit Postel, ce nom ne me dit rien. Vanessa?

— Une superbe *grimelle* aux yeux gris-vert, fille d'Allemand et de négresse. Ne me dis pas, sénat, que tu as oublié Vanessa Hassler? Tu vois, Zaza, il a eu tant de femmes dans sa vie que si on cousait bout à bout leurs jupes on aurait de la toile pour couvrir un lit de plus de cent mètres carrés!

Elisa éclata de rire, si fort que le flacon de liniment qu'elle rebouchait lui échappa des mains et se brisa. Postel aussi était pris de fou rire. Il se tordait, plié en deux dans le lit. Quand il eut assez de souffle pour parler, il dit:

— Tu exagères, sor Cisa. Ta cousine va croire que j'étais un don Juan. J'ai demandé à l'amour plus qu'une fugace irisation de la chair. Je n'ai pas à me plaindre des femmes. J'ai eu la gloire de vivre plus de quinze ans une femme-jardin.

— Et que dis-tu d'Elisa ? Quelle sorte de femme est-elle ?

— Femme-jardin également, dit Postel, le cœur battant aux étoiles.

— Écoute-moi ça ! Te voici baptisée femme-jardin ! Et il ne connaît encore rien de toi. Tu as dansé pour lui. Tu as aidé à chasser les morts de son corps. Il te reste, ma cousine, une autre faveur à lui accorder. Oui, c'est ça, déshabille-toi !

Le naturel avec lequel Elisa enleva ses vêtements tenait du prodige. Même la lampe-tempête avait le souffle coupé. Sa mèche haletait dans le silence. Elisa resplendissait nue devant le lit. Postel la reçut soudain comme une merveilleuse transfusion de sang. Sa beauté libérait en lui le courant gelé de Paméla et le temps des autres femmes qu'il avait vécues dans la joie et la tempête de ses jeunes années. Vivre, vivre, vivre ramenait à Elisa, svelte, ronde, cambrée, dure, contagieuse des pieds à la tête, toute en formes lyriquement noires de la vie. Son sang redevenait léger, luron, intrépide. Elisa lui donnait le grand bonjour du feu. C'était tout le contraire de Baron-Samedi et de son électrification des âmes. Postel s'émerveillait à égarer ses sens dans les cinq cents pores de chaque centimètre carré de sa peau.

— Je n'ai jamais vu personne vivre une femme comme ça. Et tu restes plantée là devant cet homme comme si tu étais dans ton jardin une statue de Jeanne d'Arc. Mets donc tes vingt ans dans ses veines !

Tandis qu'Elisa Valéry était étendue sur Postel,

sor Cisa se jeta sur la bouteille de *kimanga*.
Elle s'envoya une pleine goulée et se mit à *foulah*,
à vaporiser ardemment le jeu du couple. Le
liquide rituel levait des perles de chaleur sur
leurs membres emmêlés. L'intense expression de
sagesse égarée qui éclatait dans les yeux de sor
Cisa annonçait la visitation dans sa tête de maîtresse Erzili Freda Toucan Dahomin. Elle improvisa la chanson suivante :

> *Konté combien fam Postel gangnin*[1] *:*
> *moin konté youne, moin konté dé,*
> *moin konté troi, moin konté*
> *sept fam Postel gangnin*
> *min pi belle fam Postel*
> *cé Elisa, Elisa Postel-ô !*

> *A la gnou bel nêguesse*
> *cé Elisa Postel-ô !* (bis)

> *Elisa-ô, Elisa-ô !*
> *jâdin-ou en bas du feu,*
> *jâdin-ou mander rouzé*
> *si nan poin lotion*
> *Postel va barou sang-li !*

1. Comptez combien de femmes a Postel. J'en ai compté
une, deux, trois, j'en ai compté sept. Mais la plus belle femme
de Postel, c'est Elisa, Elisa Postel, oh ! Quelle jolie négresse est
Elisa Postel, oh ! Elisa, Elisa-oh ! Ton jardin est en flammes !
Ton jardin a besoin d'être arrosé. S'il n'y a pas de parfums,
Postel te donnera son sang. Quel beau morceau de femme est
Elisa Postel-oh !

A la gnou bel moço fam
cé Elisa Postel-ô ! (bis)

Sor Cisa dansait au rythme de sa propre voix.
Elle releva les bords de la robe et remplit de sa
danse l'espace libre entre la table et le lit. Tantôt
elle dansait les yeux fermés, cloîtrée dans le laby-
rinthe mythique d'Erzili, étant son expression de
femme : actrice, auteur, personnage et lectrice
de son réseau de joie et de douleur ; tantôt elle
observait le merveilleux travail du couple. Elle
vivait littéralement sa gloire, rythmant de sa voix
la fête lente, oppressée, radieuse, qui mûrissait
sous ses regards. Elle était le couple et elle-même,
et la déesse Erzili, dans la copulation du ciel et
de la terre, et l'odeur de marée haute des deux
êtres qui livraient à la folie le bon et savoureux
combat du sang en flammes dans la pièce. Erzili
mit aux narines dilatées de sor Cisa les senteurs
des herbes brûlées d'Afrique passionnément
mêlées à l'odeur immémoriale du coït. Sor Cisa
coulait le métal en fusion de son propre sang
dans la mêlée âpre, serrée, bonne, merveilleuse,
qui dans la nuit nouait vivre et mourir dans ces
corps enchantés. Le rythme *rada*, né de la force
giratoire du sang qui brûlait, emportait sor Cisa,
allégeait sa lourde chair de matrone, la berçait,
accordant ses mamelles et tout son organisme aux
pulsations magiques et ascendantes de la copulation qui se poursuivait glorieusement à ses côtés.

Tout à coup sor Cisa se pencha sur le lit. Elle
prit dans ses grandes mains les deux têtes ébou-

142

riffées de baisers. Elle les frotta, **les p**étrit longuement l'une contre l'autre, comme elle avait fait
pour le coq et la poule, sans cesser de chanter.
Puis elle glissa la main droite entre les deux
ventres éblouis et s'écria : « Grâce la miséricorde !
la flamme est debout dans le vent ! » D'un geste
brutal Erzili-Cisa arracha Elisa à la dure pénétra-
tion de l'homme.

— Il faut qu'il garde intactes les voiles que tu
as levées en lui, cria-t-elle. Il en aura besoin sur
son mât.

Arrêtée dans le cours de son vertige, Elisa titubait de désir, l'air échevelé, plus éblouissante
que jamais, frémissante, essoufflée d'espoir et de
désespoir, à mi-côte de l'orgasme qui avait commencé à lui travailler les entrailles. Son Postel la
regardait, les yeux fous, les mains comme des
oiseaux affamés, la bouche implorante, respirant
fort, tout l'orient de la vie dressé dans son sang
d'homme !

Sor Cisa saisit les vêtements de la jeune femme.
Elle l'aida à les remettre tant bien que mal, le slip
à l'envers, la minijupe de traviole, le chemisier
sens devant derrière, oubliant de couvrir la poitrine en feu. Sans un mot sor Cisa souleva Elisa
dans ses bras et l'emporta hors de la pièce.

*

Lorsque Postel s'éveilla, le soleil éclairait en
plein la pièce. Tous les bruits d'un samedi de Tête-
Bœuf étaient là. Il jeta un regard sur le réveil : il

marquait dix heures. Il avait dormi plus profondément que la nuit précédente. Il eut un sourire à
constater qu'il pouvait mouvoir ses membres sans
rien sentir de douloureux dans les jambes et les
bras. Il se sentait en pleine forme. Il marcha joyeusement vers la porte. Il s'aperçut qu'il avait oublié
de la verrouiller. Il s'était endormi dans un conte
de fées. Il fit pivoter lentement un battant de la
porte. Il découvrit Elisa, assise dans la cour, sur un
banc à l'ombre, un panier à la main.

— Bonjour, dit-il, je suis à toi dans un instant.

Il referma. Il prit un broc rempli d'eau qu'il
déversa dans une cuvette à l'émail écaillé. Il se lava
les dents, puis il se nettoya au savon, joyeusement,
le cou, le visage, les bras, le torse et le reste.
Ensuite il se sécha et enfila une chemise et un pantalon propres. Il ouvrit à la jeune femme.

— Bonjour, Henri, dit-elle. Comment te sens-tu ?

— Tout neuf, dit-il, souriant. Et toi, Elisa, comment vas-tu ?

Elle ne répondit pas. Elle posa le panier sur la
table et s'approcha de lui :

— Mon Henri, dit-elle, les yeux tendrement
fixés sur lui.

Il la prit dans ses bras. Il la voyait en plein jour
pour la première fois. C'était bien l'Elisa Valéry de
la nuit qui vibrait tout contre son corps. Il sentit
qu'elle lui caressait des doigts les lobes de l'oreille.
Les seins d'Elisa étaient deux îles dans la chaleur
qui se gonflait dans ses veines. Il effleura des lèvres
le visage de la jeune-femme-jardin.

— Nous ferons encore l'amour ? interrogea-t-il.

— Oui, nous le ferons et referons pour de vrai. À fond, au bout de nous-mêmes.

— Oui, dit-il. Bien plus tard, un poète dira : «Il était une fois un couple possédé d'amour fou. Henri avait besoin d'aide. Elisa est venue. Deux heures après l'avoir connu, elle combla de sa beauté les vides de son corps et de son esprit. La force qu'il reçut cette nuit-là d'elle, il devait la garder précieusement. La douleur du monde était dans son sang. Il devait être l'homme d'un seul embrasement.» Tu vois, dit-il, il faudra très peu de mots pour conter notre histoire.

— Tu parles comme si tout était fini, dit-elle.

— Ça peut arriver. Depuis des années je compte avec elle.

— Ne parle pas comme ça, mon aimé. (Elle s'assit sur les genoux de l'homme. Elle lui passa les bras nus autour des épaules.) Je ne supporte pas de t'entendre parler de la mort.

— Bientôt nous allons nous séparer. Pour quelques heures ou pour toujours. Peu importe. Avant ça j'ai quelque chose à te demander. Peut-être ma dernière volonté.

— Non, pas ça, dit-elle, en le couvrant de baisers, à la bouche, aux yeux, aux oreilles, au cou. Pas ça…

Elle lui mit la main sur la bouche. Elle éclata en sanglots, tout en riant, et en l'embrassant partout. Elle se fit encore plus ronde et fruitière dans les bras de son homme.

— Tu sais, reprit-il, quand je me suis lancé dans cette affaire, mon puits était à sec. Et vous êtes venus, maître Horace, sor Cisa, et toi, ma

145

Zaza d'octobre! Rien de mieux ne peut arriver à un homme. Écoute, promets-moi de faire ce que je vais te demander?

— Oui, je te le promets, dit-elle, sans s'arrêter de l'embrasser.

— Si ça arrive, tu sais, arrange-toi avec maître Horace, et sor Cisa, pour me donner vous-mêmes la sépulture.

— Pas ça, mon Henri, non !

— Une fois mort, rien de ce que l'on fait de l'objet repoussant qu'on devient n'a de l'importance. Je ne crains pas ce que nos ennemis peuvent faire de l'ex-Postel. Ce que je ne veux pas, ce sont des lamentations, des cris, du chagrin, tout le rite lugubre qui a cours encore.

— Comment veux-tu qu'il n'y ait pas ça ?

— Emportez l'ex-Henri dans nos montagnes. Chantez, dansez, vivez sa mort avec les tambours des jours d'allégresse...

— Ne parle pas comme ça. Notre amour heureux aura une histoire.

— Il fera exception à la règle ?

— Oui. Tu vas gagner le tournoi.

— Oui.

— On aura ensuite tout le temps pour s'aimer.

— Oui.

— En plus de moi, tu auras beaucoup de gens à tes côtés. Je poserai nue pour les créations de ton esprit, de tes bras...

— Comme hier soir ?

— Encore mieux. Maintenant il faut que tu répares tes forces. Tu dois avoir faim.

— Oui, très. Tu sais aussi faire la cuisine ?

— Tu aimes le poulet rôti, les bananes mûres frites, le yoghourt et l'ananas.

— Tu as deviné mes goûts. Tu vas partager ce repas avec moi ?

— Non, j'ai déjeuné avant de sortir. Mange ton plein contentement.

Elle ouvrit le panier et disposa les plats sur la table.

— Tandis que tu dormais, j'ai gardé ton repas au bain-marie sur un réchaud de maître Horace. Mange, pendant que c'est encore chaud.

— Ah, tu as déjà revu maître Horace ? C'est étonnant qu'il ne soit pas encore venu ?

— Depuis très tôt ce matin, il reçoit à ta place des inconnus qui veulent te parler. Parmi eux il y avait un garçon très intéressant.

— Ah oui, qui était-ce ?

— Maître Horace te le dira mieux que moi.

— C'est passionnant. Et sor Cisa, tu ne l'as pas revue, dit-il, tout en mastiquant avec appétit.

— Non. Elle est sortie régler une affaire.

— Et dans la ville quelles sont les nouvelles ?

— Un *télédiol*[1] fantastique traverse Port-au-Prince !

— Que dit-on ?

— Le mât suiffé est le point de mire de tous les yeux !

— Raconte, dit Postel.

— Tu sais, ce qu'on dit n'a pas grand intérêt

---

1. *Télédiol* : télégueule, « téléphone arabe », « radio bemba », propagande de bouche à oreille.

147

pour toi : ce sont des histoires sans queue ni tête.
Je trouve tout ça tellement triste.

— Ça ne fait rien, raconte.

— Ce matin, à l'avant-jour, dans les marchés
de la ville, il y a eu de grandes paniques, plusieurs
couris. Au marché Vallières, au marché Salomon,
à la Croix-des-Bossales, des centaines de marchandes qui venaient d'installer leurs étalages
du jour ont pris la fuite en poussant des cris de
terreur.

— Que s'est-il passé ?

— Le bruit s'était répandu que le mât, dès les
deux heures du matin, avait disparu de la place
des Héros. Des témoins auraient vu une équipe
de soldats le charger sur un camion-grue et le
transporter à toute vitesse au Palais. Trois heures
après, on aurait vu le mât descendre tout seul
les marches du Palais, précédé d'un bouc géant
vêtu d'une jaquette rouge avec une couronne
de cierges allumés entre ses cornes. Au lieu de
retourner à son point de départ le mât, comme
une longue jambe de bois, se serait engagé à
grands pas dans la rue Montalais, en direction
de la cathédrale. Monseigneur Wolgondé en personne l'aurait attendu et lui aurait chanté un *Te
Deum*, entouré de diacres et de sous-diacres. La
cérémonie terminée, le mât et son guide à cornes
se seraient dirigés vers les marchés de la ville où
ils se seraient gavés de légumes et de fruits
frais...

— L'imagination se gaspille dans notre pays.
Tu te rends compte ?

148

— Oui, les esprits tournent à vide. On dit que le mât est un général qui a été couronné roi, un certain Siegfried von Phallus ou Phalbus ! On dit que le bouc qui lui ouvrait le chemin de l'avant-jour n'était autre que Clovis Barbotog. On croit aussi que de ton côté tu aurais acquis un *point chaud* !

— Tu vois où nous en sommes, Elisa ; pour la ville je suis une sorte de Gilgamesh des tropiques. Et toi, sais-tu qui tu es ?

— Non.

— La nymphe Sabitou à qui je demande la route qui mène au sommet du mât.

— Qu'est-ce que je te réponds ?

— Ô Henri, il n'y a pas de route. Nul n'a jamais franchi la mer ou le désert qui est devant nous. Hormis Shamash, le soleil, qui la saurait franchir ? Réjouis-toi plutôt de la fête qui, de nuit et de jour, t'attend dans mes bras !

— C'est ça l'image que tu as de moi ? Ce matin, une voisine m'a dit : « Henri Postel ne s'est pas jeté tout seul dans cette bataille. Il a été sûrement au Trou-Foban acquérir un *point chaud*. » « Tu te trompes, ma chère, que je lui ai répondu, le "point chaud" il l'a en lui, c'est sa volonté de nègre rebelle ! »

— Tu le crois sincèrement ?

— Oui, mon Henri. Tu n'as connu que mon… jardin, comme tu as dit. Tu sais, en regardant ton combat sur le mât, des paroles d'un écrivain que j'aime ont pris tout leur sens à mes yeux : « L'expérience est le bâton des aveugles, et ce

149

qui compte, puisque tu me le demandes, c'est la rébellion et la connaissance que l'homme est le boulanger de la vie. » Ce n'est pas un héros mythique qui est entré en moi, hier soir, sinon le *boulanger* Henri Postel !

— Ce que tu dis me fait autant de bien que ce que nous avons vécu dans la nuit. Je t'aime !

— Je t'aime, mon doux roi chaldéen, dit-elle en riant. Termine ton repas. Elle s'assit au côté de l'homme. Ils restèrent ainsi sans parler, chacun à l'écoute du meilleur de l'autre. Postel mangeait lentement, savourant le poulet. Quand il eut fini, Elisa ouvrit une thermos. Elle lui versa à boire du jus d'orange enrichi d'extrait de carotte et de betterave. Postel dégusta en silence la boisson glacée.

— Tout était délicieux, dit-il. Pas autant que toi.

Elle baissa la tête sous le flux de sang qui lui montait aux seins. Elle lui sourit :

— C'était aussi bon que ça ?

— Le repas ou toi ?

— Moi.

— Tu as remarqué : les hommes ont les mêmes mots pour dire la joie que leur donnent un mets, un fruit, une boisson, une femme : doux, bon, délicieux, exquis, savoureux ou quelque chose dans ce goût-là. Depuis que l'acte d'amour existe, on n'a pas inventé un maître mot pour dire la qualité ou le prodige du plaisir qu'on éprouve à *se vivre par le sang*. Après le coït, on parle d'une femme appétissante, douce, bonne ou savoureuse...

— Peut-être, mon chéri, ce mot-là existe dans d'autres langues. Non ?

— Ça se saurait. Tout le monde l'aurait adopté. En matière d'amour aussi l'espèce est sous-développée.

— À nous deux on inventera ce mot-lumière. On en fera cadeau à tous les amants de la terre !

— Oui, on le fera à partir de toi. Maintenant il faut que tu ailles me chercher maître Horace. S'il vient d'autres visiteurs, tu les recevras à notre place.

Elisa se leva, embrassa Postel sur la bouche et sortit.

*

Maître Horace trouva Postel encore assis à la table, le visage d'une radieuse sérénité.

— Assieds-toi, dit Postel.

Il prit un verre et y versa le jus qui restait dans la thermos.

— Bois ça, mon frère, dit-il. C'est mieux que l'élixir des fées !

— De l'Elisa-en-bouteille ? dit en riant le cordonnier.

— Une femme-jardin, tu sais, maître Horace.

— J'ai eu raison, hier soir, de parler d'hormones fraîches… J'ai jamais vu deux êtres aussi spontanément émerveillés l'un par l'autre que vous deux.

— C'était si frappant que ça ?

— Tu n'as pas idée, chef. Je te vois en excellente forme.

— J'ai eu un réveil de roi mésopotamien. Venons-en à l'affaire en train.

— Elisa t'a parlé des rumeurs de la ville ?

— Elle ne m'a pas tout raconté. Tu n'as pas arrêté de recevoir des visites ?

— Oui, beaucoup de gens ont cherché à s'approcher de toi.

— Ils n'ont pas eu peur d'être dénoncés ?

— Ils sont venus à leurs risques et périls. Les moins courageux ont fait semblant de m'apporter une paire de godasses à ressemeler. Chacun avait un présage, un rêve, un conseil, une expérience ou un encouragement à te communiquer, pour t'aider. Nous avons eu quelque mal, Elisa et moi, à leur faire comprendre qu'il ne fallait pas interrompre ton repos. Il y a même un petit vieux qui ne voulait pas en démordre. Il est venu tout droit de Cabaret exprès pour te voir après avoir passé la nuit à marcher…

— Pas possible ?

— Je ne sais comment il a pu le faire, usé, sec, décharné comme il est. Pieds nus, en haillons, il avait des regards d'illuminé. Il soutenait que depuis longtemps il attendait ton action sur ce mât suiffé. Il a tiré d'un sac graisseux une grosse loupe d'horloger qu'il tenait à te remettre. Il criait, les yeux hors de la tête : « Depuis des années le sort de Postel, enfermé dans cette étoile, attend l'heure de la rédemption. Il est là-dedans, je vous le jure. Regardez donc : n'est-ce pas lui ? qu'il disait, mettant la loupe sous mon nez. Réveillez Postel sur-le-champ. Je dois suspendre son étoile à son cou ! » Il n'a pas voulu entendre raison. De guerre lasse, il s'est mis à nous insulter, Elisa et moi. « Assassin de cordonnier, qu'il disait, mauvais garnement! Et toi sorcière lubrique, qu'il a dit à Elisa, j'emmerde ton beau derrière! Vous travaillez tous les deux à sa perte! Tout ça est dans la loupe!» Ensuite, il s'est levé, il a craché sur nous deux et est reparti, l'écume aux lèvres, l'œil en flammes...

— Comme un vrai citoyen du Grand Pays Zacharien, dit Postel.

— Oui, chef, les bruits fantastiques que l'ONEDA fait courir confondent les esprits.

— On me croit engagé dans une aventure de sorcellerie?

— Pas tous, chef.

— Elisa m'a dit que tu as reçu un jeune homme fort intéressant.

— Justement c'est de lui que j'ai à te parler.

— Il t'a dit son nom?

— Oui : Jean-Jacques Brissaricq.

— Un nom de guerre sans doute. Comment est-il?

— Un garçon d'environ vingt-cinq ans, de grande taille, large d'épaules, avec des yeux espiègles dans un visage intelligent et volontaire.

— Je ne vois pas qui c'est.

— Quelqu'un de la génération qui monte. Il m'a paru débordant d'optimisme, de chaleur humaine et de résolution.

— Raconte.

— Ils sont quelques centaines de jeunes gens à faire du recrutement de bouche à oreille dans le secret le plus absolu. «L'électrification des âmes, qu'il m'a dit, étant fondée sur la violence, c'est

153

seulement la violence qui en débarrassera le pays. »

— Dans ce cas il doit me prendre pour un fou ?

— Pas du tout. Ils te tiennent pour un citoyen éminent, progressiste, avec du courage personnel à revendre.

— Pourquoi alors m'ont-ils tenu à l'écart de leur mouvement ?

— Brissaricq m'en a fourni loyalement les raisons : ils se méfient de ce qu'ils appellent « l'individualisme moral de Postel ».

« "Un de nos reproches les plus graves contre Postel, qu'il a dit, est sa tendance à voir les choses uniquement sous leur aspect moral. On ne fait pas d'omelette ni de révolution sans casser des œufs et des têtes." »

— Ces jeunes se réfèrent sans doute à mes prédications au sénat. C'est vrai que j'ai crié souvent que la conscience d'un homme ne fonctionne pas mieux qu'un tube digestif s'il ne se sent pas blessé, à titre individuel, par n'importe quelle injustice commise contre n'importe quel homme en n'importe quel endroit du globe. Si c'est ça mon individualisme moral…

— Ils ont l'impression que tu travailles sur ce mât à ton salut personnel. Ils ne croient pas que dans un pays aussi anesthésié que le nôtre, l'exemple d'un individu puisse être un détonateur collectif.

— Pas un instant il ne m'est passé à l'esprit que mon effort individuel pourrait galvaniser le pays. Coincé depuis des années à Tête-Bœuf, entre une zombification réussie et le départ sans retour, j'ai préféré le combat du mât suiffé. Un point c'est tout.

— De toute façon, Brissaricq et ses compagnons ont promis de t'aider.

— Ah ! Oui ? Il te l'a dit ?

— À leur avis, après les épreuves d'hier la ville est divisée en deux camps : d'un côté Zacharie et sa tribu ; de l'autre tous ceux que ton courage et ton enthousiasme ont fascinés sur la place. Avant de partir, Brissaricq m'a dit exactement : « Si nous avions su que Postel allait s'embarquer dans cette aventure, nous lui aurions proposé une issue plus conforme à notre ligne d'action. Dis-lui qu'il peut compter sur notre soutien total. »

— C'est merveilleux, dit Postel.

*

Juste à ce moment-là, sor Cisa apparut sur le seuil de « L'arche de Noé ». Les deux hommes se levèrent à son approche. Elle était en nage et n'arrêtait pas de secouer l'ouverture de son corsage pour aérer sa puissante poitrine congestionnée. Elle avait l'œil hagard, le visage terriblement endurci, la bouche plus lippue que d'habitude.

— Assieds-toi, sor Cisa, dit Postel. Veux-tu un verre d'eau ?

Elle but avec avidité l'eau fraîche que maître Horace lui versa d'une cruche.

— Ça va bien mieux, dit-elle, après son troisième verre. (Elle s'essuya la bouche du revers de la main.) Toi, sénat, comment te sens-tu ?

155

— Ça ne pourrait aller mieux. Merci, sor Cisa.

— Grâce la miséricorde, dit-elle, l'œil soudain adouci de bonté. As-tu revu ma cousine ?

— Oui, Elisa m'a apporté un repas délicieux. Un vrai régal.

— Quoi encore elle t'a régalé ?

— Sa tendre présence.

— C'est bien. Vous aurez tout le temps pour la bonne tempête. Où est-elle passée ?

— Elisa reçoit à notre place, chez maître Horace.

— Ah ! Zaza joue déjà les madame Henri Postel. Bravo ! Elle a l'aplomb qu'il faut pour ça, vous savez ?

— Je le sais, dit Postel, en riant.

— Maintenant, intervint maître Horace, raconte-nous ta matinée, sor Cisa.

— Oui, dit Postel, qu'est-ce que tu as fait ?

— Ce que j'ai fait ? Je n'ai pas arrêté de courir à droite à gauche. J'ai appris beaucoup de choses. La nuit dernière l'ennemi non plus n'a pas perdu son temps. Mais que le tonnerre me fende en deux ! Le travail de Papa-Loko aura le dernier mot. L'assassin qui nous gouverne peut crier : « Le mât suiffé, c'est moi » ! c'est un Postel à cheval sur son « point chaud » qui sortira vainqueur du tournoi.

— Qu'est-ce que tu nous apprends là, sor Cisa ? dit maître Horace. Zacharie et le mât ne feraient plus qu'un.

— Oui, papa. Dans le paradis où nous vivons un poteau enduit de merde peut être Président à Vie et vice versa. Si, si, mon cordonnier, le mât a été

156

transporté dans la nuit au Palais de Zacharie. Dès trois heures du matin le Grand Électrificateur et lui ne faisaient plus qu'un seul *baka*. Je le tiens d'un témoin oculaire. Savez-vous qui? L'un des participants au tournoi : Ti-Lab, le matelot, le plus jeune des hommes que nous avons vus à l'ouvrage hier. Je l'ai rencontré grâce à une cliente qui est l'amie de sa femme. J'ai été chez lui au Portail-Léogâne. Ti-Lab, sans se faire prier, m'a parlé de ce qu'il a vu dans la nuit.

«Dans la soirée du vendredi, vers les dix heures, Ti-Lab était déjà couché quand une jeep de l'ONEDA s'arrêta devant la maison. Un policier en descendit et donna l'ordre au marin de le suivre. Ti-Lab crut à sa dernière heure. Mais quand la jeep arriva au Palais avec lui, on le fit aimablement pénétrer dans un salon violemment éclairé où il retrouva la plupart de ses compagnons de l'après-midi. Il manquait Henri Postel et Pascal Joubert. Quelques instants plus tard ce dernier fit son entrée, conduit par Barbotog en personne. À onze heures environ, le Chef Spirituel apparut, suivi de son épouse, ses cinq filles, Barbotog, Moutamad, et les principaux potentats-zotobrés du gouvernement : Boss Pintrel, Elo Bobo, Tas Désiré et d'autres, accompagnés de leurs dames. Ti-Lab reconnut, parmi les militaires, le général Konstard, les colonels Edgar Boipiraud, Harry Dainmond, le major Claude-Lukner Cabron. Il vit aussi dans l'assistance les journalistes Daumac et de Casaldiol.

«Peu de temps après l'arrivée de Zoocrate Zacharie, on introduisit au salon le plus sinistre *bokor* du pays : Siméon Sept-Jours-Ténébreux, le chef de la confrérie des *Cochons-sans-poil*[1]. Siméon était tout en blanc, avec une canne bariolée à la main. Il commença par expliquer que l'expédition de l'après-midi, quoique menée avec doigté par Baron-Samedi, ne pouvait à elle seule barrer la route à Henri Postel sur le mât. "Ce salaud de Postel, dit le *zobop*, est né avec une coiffe et les pieds devant. Il a passé une partie de son enfance sous l'eau. C'est pourquoi il a pu tourner en dérision les travaux expéditionnaires de mon chef collègue Baron-Samedi. À le voir agir j'ai tout de suite senti que nous avons affaire à quelqu'un de rudement bien *monté*, des orteils à la tête. Postel est un dur aux couilles froides ! Avec cette race il faut les grands moyens. Je suis venu ici pour ça."

«Alors le président Zacharie lui demanda : "Vénérable Sept-Jours, à votre avis, que faut-il faire pour électrifier le mât sous Postel ?" Le *bokor* prit sa drôle de tête grise dans ses mains pour réfléchir. Au bout d'un moment il déclara :

«"Il faut, Excellence, incorporer au mât votre propre souffle de Grand Électrificateur des âmes du Grand Pays Zacharien. Votre Excellence doit effectivement descendre de tout son sang d'homme vivant dans le courant végétal du mât, afin de pouvoir proclamer : 'Ce mât suiffé, c'est mon État, c'est moi !'"»

---

1. Cochons-sans-poil : confrérie secrète de sorciers.

« À ces mots un frisson de stupeur passa dans le salon. Seul le président resta de glace, comme si le *zobop* lui avait proposé un petit changement d'air à la campagne. Zacharie répondit calmement : "Vénérable Sept-Jours, dites ce qu'il faut faire pour ça. Vos paroles sont des ordres pour tous ceux qui sont réunis dans ce Salon bleu turquoise !" Siméon lui demanda qu'on lui amène immédiatement le mât suiffé. Le président parla à l'oreille du colonel Boipiraud qui sortit aussitôt de la pièce. En attendant le mât, Siméon, aidé de Mgr Wolgondé, également présent, s'occupa fébrilement des préparatifs de la cérémonie. Il dessina au marc de café d'horribles *vevés* à même le parquet ciré du salon. On vit apparaître les contours d'une tombe, sur laquelle Siméon écrivit à la craie rouge : "Ci-gît le Noé mulâtre de Tête-Bœuf, l'emmerdeur Henri Postel."

« Moins d'une demi-heure après, plusieurs escouades de soldats firent irruption dans le salon avec le mât. Ils l'étendirent de tout son long comme le cadavre d'un monstre sur l'immense tapis rouge sang. Siméon invita sur-le-champ le président Zacharie à se déshabiller. Son Excellence se dépouilla de ses vêtements. Une fois nu comme un ver de terre, le *bokor* lui prit la main droite qu'il maintint en l'air, tout en lui faisant faire, au pas de course, le tour complet de la pièce dans les deux sens. En passant devant chaque fenêtre ouverte sur la nuit, il le fit s'arrêter et balança trois fois les bras élevés de son Excellence en direction des points cardinaux.

159

«Ensuite Siméon, assisté de Mgr Wolgondé et de Nildevert noua un foulard rouge à la tête du président et le coiffa d'une couronne de bougies allumées. Puis il lui donna à boire au goulot de trois bouteilles contenant du *kimanga*, du *migan* et du *mavangou*. Tandis que son Excellence éternuait, la langue pendante, le *bokor* lui traça à l'indigo des croix gammées sur le front, le menton, la poitrine, le ventre et la verge en état d'énergie. Après ça Siméon sortit un sachet de sa poche. Il précisa que celui-ci contenait de la terre prélevée secrètement à Washington, au cimetière d'Arlington, sur la tombe de défunt président John F. Kennedy. Il la mélangea dans un bol avec de la farine de blé et il blanchit les sourcils, la moustache, les poils des aisselles et des organes intimes de Zoocrate Zacharie. Ti-Lab vit ensuite Siméon se baisser pour faire monter son Excellence sur son dos. Il se dirigea avec son fardeau présidentiel en dansant vers la porte d'entrée du salon bleu turquoise. Arrivé sur le seuil, au lieu de le franchir, il avança et recula trois fois. Il hésita encore un instant. Après plusieurs volte-face il regagna au même rythme son point de départ au centre de la pièce. Pendant ce temps, les assistants battaient des mains et reprenaient en chœur, à mi-voix, le refrain du chant funèbre que Nildevert avait le premier entonné.

«Après avoir déposé Zacharie, Siméon invita les plus proches collaborateurs de son Excellence à le porter à leur tour. Le marin vit Ange Zacharie, le colonel Boipiraud, le major Cabron, madame

Saint-Totor, madame Ti-Cadolphe, monseigneur Wolgondé, le sénateur Silfort, le préfet Crafkir, le colonel Dainmond, Espingel Nildevert, entre autres, danser à tour de rôle avec le chef spirituel sur leur dos.

« On en était là quand le président Zacharie se mit à beugler et à rentrer sa tête dans les épaules, de l'air furieux d'un taureau qui allait foncer. Alors Siméon se remplit la bouche de *kimanga*. Il en vaporisa le visage, le nombril et le membre dégainé de son Excellence. Ensuite, il ordonna à Zacharie de se mettre à plat ventre sur le mât pour un simulacre de copulation avec lui. Zacharie s'exécuta. Mais Siméon dut demander aux colonels Boipiraud et Dainmond d'aider le président à se maintenir en équilibre couché sur le mât. En effet, le petit homme à poil glissait maladroitement tantôt d'un côté, tantôt de l'autre, de son double, en beuglant, l'écume aux lèvres. Les femmes du premier rang de l'assistance avaient les yeux prompts et effarés de juments en rut : assises les cuisses écartées, elles étouffaient de plaintifs hennissements, tout en laissant leur langue violette errer sur leurs lèvres en feu. Leurs maris étaient figés à leur place, transpirant à flots, avec un air de suffocation, malgré la fraîcheur de la nuit.

« Ti-Lab vit arriver le point crucial du service : Siméon remit debout le Chef Spirituel, s'accroupit devant lui et fit trois fois semblant de lui arracher avec les dents les parties génitales, comme si Zoocrate Zacharie était le bouc ou le taureau d'un sacrifice ordinaire. Le *baka* approcha ensuite du bas-ventre de son Excellence un grand bol en faïence et feignit de recueillir son sang. Puis il se mit à genoux et dit la prière suivante :

« "Au nom du sel, de la cendre mardi-gras, de la muscade râpée, de l'anis étoilé, du fiel de taureau, du sang de rat vierge, de l'eau de tannerie ; au nom foutre-tonnerre de la mélasse noire et du tafia mélangés dans ce bol au sang frais du président Zoocrate Zacharie et de son double en bois suiffé, noués par mes soins en une seule et même sainte tempête, en un seul grand courant électrique, l'ex-sénateur de la République Henri Postel sera foudroyé dimanche après-midi au plus tard, au simple contact de ses membres avec le poteau-mitan de l'Électrification des âmes ! Amen."

« Après avoir goûté au *migan* du bol, Siméon versa une grande cuillerée du liquide sur le mât. Il en donna une au président. Il en fit également prendre à chaque assistant, en commençant par les membres de la famille présidentielle et du conseil des ministres.

« À la fin de l'opération, Siméon demanda à Zoocrate Zacharie de prononcer les paroles suivantes : "En avant, vaillant *cheval* à Zoocrate Zacharie, emportez sans regarder en arrière Henri Postel au pays où *Marinette Bois-Sec* dompte les hyènes, les tigres et les autres ex-sénateurs de proie !" À entendre le président Zacharie hurler ces paroles, Ti-Lab sentit qu'il n'allait plus pouvoir tenir sa langue tant s'était exaspérée en lui l'envie qui dès le début le démangeait de dégueuler ce qu'il pensait de tout ça et de crier : "Vive Postel", avant qu'on lui tranche la tête. Mais le cran lui manqua. À force d'avaler sa rage, il perdit connaissance. C'est ainsi qu'il ne vit pas le dénouement du service funèbre.

« Quand Ti-Lab revint à lui, dehors il faisait tout à fait jour. Les arbres du jardin se dessinaient nettement sous un ciel d'aubergine. Ti-Lab était dans le salon en compagnie du Nildevert. Non loin d'eux, un énorme coq rouge picorait avidement des grains de maïs que Siméon avait éparpillés sur le tapis persan. Nildevert fixait sur l'oiseau des regards fascinés. Il chuchota à Ti-Lab que le coq était l'honorable Mesmin Crafkir, le préfet de Port-au-Prince. Crafkir s'arrêtait de temps en temps de becqueter pour chanter d'un air conquérant. Le mât suiffé avait disparu, de même que le président, sa famille et ses invités. Ti-Lab était affalé dans un fauteuil d'apparat, avec des compresses glacées sur le front. Nildevert lui dit qu'il avait été assommé par un *loa* trop fort pour sa tête de marin. Nildevert expliqua aussi à Ti-Lab que le général-roi Siegfried von Phalbus, quelques instants auparavant, sur un ordre de Siméon Sept-Jours s'était levé brusquement du tapis. En raison de sa taille, il avait dû s'incliner pour quitter le Palais, précédé d'un bouc géant qui n'était autre que le colonel Boipiraud. De son pas d'échassier, le mât, accompagné de son aide de camp, avait pris la direction de la cathédrale. Mgr Wolgondé allait

163

dire en son honneur une messe d'actions de grâce. Ensuite avant de reprendre son poste sur la place le général von Phalbus avait l'intention de faire le tour des marchés de la ville pour satisfaire son bon appétit. Comme le président Zoocrate, le von Phallus ou Phalbus, aimait, au petit jour, donner à brouter à son grand goût des quantités énormes d'herbes, de légumes et surtout de fruits frais.

« Ti-Lab fut reconduit chez lui en jeep. À la sortie du Palais, l'officier de garde lui remit une enveloppe qui contenait cinquante-sept dollars treize centimes. Il lui intima l'ordre de la boucler s'il ne tenait pas à accompagner Postel à son dernier voyage en bateau.

« Quand sor Cisa vit Ti-Lab plusieurs heures après, le marin avait l'imagination encore tout agitée de ce qu'il avait vu et entendu dans la nuit. Il se faisait énormément de souci pour Henri Postel. Alors sor Cisa lui raconta la *contre-expédition* dans "L'arche de Noé". "— Après l'excellent travail de Papa-Loko, qu'elle lui dit, Postel n'a plus rien à craindre de ses ennemis. Il était désormais équipé pour faire face aux *points-loup-garou* de dix *bakas* plus féroces encore que Siméon Sept-Jours-Ténébreux. Postel avait maintenant ses deux *Bons-Anges* bien ancrés dans les mains, les jambes et les couilles, dieu merci ! Zacharie von Phalbus n'avait qu'à s'y frotter pour voir." Ti-Lab qui n'avait pu fermer l'œil jusque-là s'était endormi sous les yeux de sor Cisa comme un petit garçon en paix avec les bosses de son cœur. »

164

Voilà le récit que sor Cisa avec des mots à elle fit aux deux hommes qui l'écoutèrent attentivement. Quand elle eut fini de raconter ce qu'elle avait appris du marin, le cordonnier dit :

— Tu vois, chef, tout n'est pas perdu dans cette ville.

— Oui, dit Postel, l'espoir a encore des portes à Port-au-Prince.

— Plus de portes qu'on ne pense, dit sor Cisa. En sortant de chez Ti-Lab, j'ai pris, bride sur le cou, la route de Carrefour. J'ai rendu visite à Pascal Joubert, un autre grimpeur du mât qui avait assisté aussi à la nuit du Palais.

— Pascal Joubert, dit Postel, je ne vois pas qui c'est.

— Moi non plus, fit maître Horace.

— Comment, messieurs, le *bœuf à la chaîne*[1] aux yeux plus écartés que des doigts de pied. Le nègre qui faisait le macaque autour du mât et que le Dr Merdoie dut rappeler à l'ordre plus d'une fois. Vous ne voyez toujours pas ?

— L'homme qui prenait des airs de catcheur devant le poteau ? demanda Postel.

— Celui qui agitait les jambes en poussant des cris d'animal à l'abattoir ? dit maître Horace.

— Lui-même-même, dit la femme.

— Raconte, sor Cisa, dit Postel.

1. Bœuf à la chaîne : employé préposé à la garde des bagages sur les tap-tap ou cars de voyageurs au Grand Pays Zacharien.

«Dans l'après-midi, sur la place, dès que sor Cisafleur vit Joubert, sa dégaine lui rappela quelqu'un. Qui pouvait être ce nègre-ficelle, grâce la miséricorde? elle se demanda. Elle eut beau se casser la tête, elle n'arriva pas à se souvenir. Elle dormit avec le mystère pelotonné en elle comme un gros chat noir. À son réveil, le matin du samedi, tout s'éclaircit : ce Pascal Joubert était le *bœuf à la chaîne* du camion "Le Petit Jésus de Prague", qu'elle avait pris pour se rendre en pèlerinage à Ville-Bonheur, un mois de juillet d'il y avait dix ans de ça. Grâce à Pascal ce voyage avait été une partie de plaisir pour les hommes, les femmes et les enfants qui s'étaient entassés dans le *tap-tap*. Cette fois-là même les poules, les coqs, les cabris, les cochons noirs ficelés dans le camion avaient eu aussi une joyeuse traversée. Pascal n'avait pas arrêté sur tout le trajet de les amuser, chrétiens-vivants et animaux. Il avait plu sur le cou à sor Cisa. En ce temps-là sa chair pouvait encore aveugler l'œil d'un mâle bâti comme ce gars-là. Il s'était mis à lui tourner autour. Pascal et elle, dès la première nuit à Saut-d'Eau, sous l'œil protecteur de Notre-Dame-du-Carmel, avaient vécu un grand panier de bon temps. Pascal lui avait alors dit qu'il possédait une cahute à Carrefour. Elle n'avait eu aucun mal à dénicher son bœuf de Ville-Bonheur. Il venait à peine de se lever. Il ne l'a pas reconnue non plus tout de suite. Elle dut lui rafraîchir la calebasse : "Pascal, qu'elle lui dit, tu ne te souviens pas du Saut-d'Eau d'il y a une dizaine d'années?"

«Il était là torse nu, en caleçon, à moitié endormi, la bouche, le nez et les yeux tout enflés, à la dévisager d'un air ombrageux, sans pouvoir coller un nom de femme à son corps. "Pascal, qu'elle dit, tu ne te souviens pas qu'une nuit on fit le soleil sous les eaux écumantes de la cascade, après de bonnes culbutes sous les fougères? Le jour suivant comme on s'était amusés à entendre des pèlerins raconter qu'ils avaient vu dans la nuit Damballah Ouèdo en train de châtier à la folie le gros *cul-bounda* en fleur de sa femme Aida?"

«Alors brusquement Joubert s'était réveillé à la Cisafleur de cette année-là. Il la prit dans ses bras, l'arracha du sol, la jeta dans le lit, et dans le contentement de leurs retrouvailles, il voulut illico remettre ça. Parlez d'un Pascal Joubert! Pendant qu'il était à cheval sur les hanches de sor Cisa, en train de la déboutonner rageusement, elle lui dit : "Pascalito très cher, ne sois pas si fou, je suis venue te voir pour une affaire très grave : à Tête-Bœuf, j'ai comme voisin sénat Henri Postel. J'ai à te parler à son sujet."

«Du coup voilà le fougueux *bœuf à la chaîne* qui rentre dans sa coquille en feu, avec verge et tout, bredouillant des excuses et disant avec émotion à la femme : "Tu connais donc ce nègre-là? C'est quelqu'un de grand format. Sais-tu que je suis prêt à faire n'importe quoi pour que ce soit lui qui arrive le premier au sommet du mât suiffé?"

«À ces mots sor Cisa se jeta à son cou. C'était Pascal Joubert cette fois qui se dérobait à la rage experte de ses mains dans son caleçon Quand ils eurent fini, Pascal lui raconta ce qui lui était arrivé. Elle le laissa faire sans lui dire qu'elle savait déjà tout. Pascal lui narra aussi ce qui s'était passé avant la cérémonie du Palais de sorte que son histoire venait en somme compléter le récit de Ti-Lab.

« Des soldats vinrent le prendre à Carrefour avant les sept heures du soir. Lui également avait cru qu'il ne remettrait plus jamais les pieds chez lui. On le conduisit d'abord au siège de l'ONEDA. Après quelques minutes d'attente, on le fit entrer dans un bureau où Barbotog en personne l'accueillit. Le chef de l'ONEDA se mit aussitôt à le gâter. Il lui offrit un cigare, une tasse de café et une boisson qui parut à Pascal comme l'oncle millionnaire du tafia. Barbotog déclara tout de go qu'à ses yeux Pascal était le nègre qui semblait réunir le plus de qualités pour le titre de champion du tournoi. Pour ça il devait cesser de gaspiller ses forces à faire le macaque et se décider pour de bon à atteindre le sommet du mât. Son devoir de bon citoyen était de coopérer à fond avec le pouvoir onédiste. Il devait cesser d'amuser la foule avec des macaqueries de cirque ambulant. Pour s'éviter de gros, gros tracas, tout ce qu'il avait de plus urgent à faire, c'était, dès l'après-midi du samedi, en hommage au 22 octobre, de gagner tout droit le sommet du mât. S'il suivait conseil d'ami, les trophées du tournoi feraient figure de crottin de cabri aux côtés des avantages matériels qu'il allait mettre à sa portée. Pascal pourrait immédiatement dire

168

adieu à son vil remue-ménage sur le toit d'un *tap-tap* pour rouler dans sa propre voiture de sport, en compagnie de la reine du dernier carnaval ou de n'importe quelle autre beauté de son goût. Les fonds de la ZAAMCO seraient à sa disposition pour bâtir une villa sur les hauteurs de La Boule. Il mènerait le train de vie des *potentats-zotobrés* de la révolution onédo-zacharienne. Plus tard ce serait un jeu pour lui d'obtenir l'administration d'un casino, d'un hôtel de luxe ou de la Loterie Nationale ; ou bien s'il a des penchants historico-culturels, Barbotog était à même de le nommer doyen de la Faculté d'Ethnologie ou de lui procurer un poste de conseiller culturel dans une ambassade.

« Ensuite Barbotog fit jurer à Pascal de ne jamais répéter ce qu'il allait lui confier. Il lui révéla qu'au Palais deux camps s'étaient formés autour du président Zacharie. Dans le premier, outre lui Barbotog, il y avait le Dr Parfait Alexandrin, les principaux ministres, le préfet Mesmin Crafkir, tout le Bord-de-Mer derrière Habib Moutamad, et le parlement à 98 %. L'autre camp avait pour chef Ange Zacharie et rassemblait, pêle-mêle, son mari le colonel Boipiraud, une poignée de sénateurs aigris, l'ambitieux monseigneur Wolgondé, le *bokor* Siméon Sept-Jours-Ténébreux, le président du Tribunal de Cassation, les actuels directeurs de la Régie du tabac et de la Loterie Nationale, les deux officiers les plus intrigants de l'État-Major de l'armée, le colonel Dainmond et le major Cabron.

« Barbotog révéla encore à Pascal que la guerre froide que les deux clans se faisaient depuis des années venait d'éclater pour de vrai à l'occasion de la nouvelle affaire Henri Postel. Ses adversaires étaient passés à l'offensive dès qu'ils avaient su que le Noé de Tête-Bœuf allait prendre part au tournoi du mât suiffé Ils rendaient l'ONEDA responsable du défi que l'ex-sénateur osait jeter au régime. Tout le monde savait que si Postel n'avait pas rejoint ses partisans et ses proches sous la terre, il le devait uniquement au président Zacharie. Celui-ci, avec ses lubies, s'était entêté à lui fabriquer une mort sur mesure.

« Le ministre de l'ONEDA mit Pascal au courant des tout derniers développements de la situation. Ange Zacharie, aussitôt rentrée au Palais, à la fin du tournoi, s'était enfermée à double tour avec Siméon, Boipiraud, Mgr Wolgondé, le colonel Dainmond, le sénateur Cizard, le major Cabron, le colonel Charles Oscar et deux ou trois autres comparses. Ils s'étaient arrangés pour tenir Barbotog à l'écart. Mais grâce aux écoutes qu'il avait depuis longtemps placées dans les murs du Palais, il avait pu entendre les paroles des comploteurs à l'instant même où ils les prononçaient. Barbotog pressa le bouton d'un magnétophone et invita Pascal à écouter. Le ruban terminé, il dit à Joubert :

« "Tu les as entendus, hein ? Qu'est-ce que tu dis de ça, toi, *nègre-des-feuilles* ? Que penses-tu de notre Pouvoir Noir ? N'est-ce pas un coup d'État qu'on prépare sous mon nez ? Ange Zacharie veut ma peau. Elle ne m'a jamais pardonné le dédain que j'ai eu pour sa croupe trois fois plus grosse qu'il n'est permis quand elle la roulait dans les couloirs du Palais, jouant effrontément la Lolita des tropiques!"

«À ce moment de sa colère Barbotog s'était levé. Il s'était mis à trépigner, les yeux injectés, le cou saillant, claquant des dents. — Cette fois, il avait hurlé, le bain de sang se passera en famille. La belle saignée va être domestique. De bleu turquoise le salon passera au rouge-règles de la Grande Pute! Je vais leur mettre dans les roues des bâtons dix fois plus gros que leur salaud de totem de la place. Je veux voir briller au néon sur la tombe d'Ange les noms de tous les mâles nègres, mulâtres et blancs que son con phallophage a dévorés avant que son père et moi nous soyons parvenus à le fixer avec des clous d'or sur la molle échasse d'un mari. L'opinion de ce pays saura que la colonelle Boipiraud-Zacharie possédait dans les environs de Madrid un hôtel particulier où trois fois par an elle empilait des couples aussi dévergondés que celui qu'elle formait avec son Edgar pour des débordements de foutre assaisonnés de sabbats vaudous.

« "Ah, ah, ah! Pascalito très cher, s'écria Barbotog, il me vient une idée cent fois plus géniale que celle que leur Tonton Ténébreux a eue à la réunion de tout à l'heure. Pour célébrer ton triomphe sur le mât je veux te voir danser le *banda*[1]

---

1. *Banda*: danse qui mime en même temps les gestes de la mort et de la copulation.

sur le tête-ventre d'Ange Zacharie. Ah, ah, ah, nom de Dieu de nom de dios, je veux que tu lui fasses un *petit-bœuf*[1] de toute beauté. Elle avait demandé à son père un grand discours onédophallique sur la place. C'est moi qui ai empêché ce scandale. Elle l'aura, entre les cuisses, le discours du général Pascal von Phallus, le taureau-bœuf que tu as dans le pantalon! Qu'est-ce que tu dis de ça, nègre *bossale*, né coiffé ?"

« Avec ces paroles la rage du ministre tomba sur le coup. Il se tordait aux larmes d'un rire tantôt bon enfant, tantôt féroce, à mesure qu'il mimait ce que Pascal aura à faire à la Zacharie dans les minutes qui précèdent sa mort. Quand Barbotog retrouva son calme, il dit à Pascal : "Buvons à ta victoire sur le mât de l'ONEDA! Buvons à tes déhanchements vaginocides du samedi soir 22 octobre! Buvons à l'éclat du Salon rouge-clitoris, rouge-crête d'Ange! Buvons, gentil bœuf, à la nouvelle vague d'électrification des âmes onédozachariennes…"

« Quelques instants plus tard, Barbotog prit Pascal avec lui dans sa limousine. Il l'emmena tout droit au Salon bleu du Palais. Pascal y découvrit Nildevert, Gros Roro des Bois, Ti-Lab et les autres participants au tournoi. À la vue de Barbotog ils se levèrent respectueusement. Le ministre leur fit signe de rester assis et se retira. Pascal prit place sur un canapé aux côtés de ses compagnons

1. Petit-bœuf : faire un petit bœuf à une femme, c'est l'embrasser au vagin.

de lutte. Ils étaient là, dans leurs hardes de travail, les yeux baissés sur le tapis, l'air absent et hébété. Pascal conta à sor Cisa ce qui s'était passé par la suite. C'était ce que Ti-Lab avait vu jusqu'au moment de son évanouissement. Mais grâce aux confidences du ministre, Pascal avait mieux saisi que le marin l'ensemble de la situation.

« Il avoua à sor Cisa qu'il eut d'abord l'envie de faire comme Barbotog lui avait demandé. Il était sûr, en y mettant toutes ses forces de pouvoir gagner dès l'après-midi du samedi le sommet du mât. C'était l'occasion unique de troquer sa peau de bœuf contre une peau de chrétien-vivant. Il se vit assis dans un bureau à l'air conditionné comme celui de Barbotog avec un petit bar à portée de la main, habillé toute l'année de dril blanc, les yeux fraîchement abrités sous des lunettes noires, en train de donner des ordres à des centaines de zombies. Il se nomma l'honorable Dr Pascal Joubert, directeur de la Loterie Nationale ou administrateur du palace-hôtel *Anacaona*, ou encore monsieur le doyen de la Faculté d'Ethnologie !

« Il se vit filant vers une villa de La Boule, dans une Mercedes blanche, carrossée sport, décapotable, en compagnie d'un essaim effervescent de jeunes femmes prêtes à jouer avec lui. Il se vit faisant les cent pas dans la salle d'attente de l'aéroport de Maïs-Gâté, à dix minutes de son vol vers des pays lointains avec un chèque de vingt-cinq mille dollars en poche. Il se laissa dériver dans les régions exotiques que Barbotog avait allumées entre ses cornes d'homme de trait.

« Il en était là à rêver, l'œil distraitement accroché aux travaux de Siméon quand un autre genre de songeries lui envahit soudain la tête. Cinq ans auparavant, le "*Confidence du Saint-Esprit*", l'actuel gagne-pain de Pascal, était resté en panne plusieurs mois. Son propriétaire n'avait pas eu de quoi acheter des pièces de rechange. Pascal s'était trouvé du matin au soir battant l'asphalte de ses orteils ferrés, sans un centime nègre dans le gousset. Il tirait un sacré roi-diable par la queue. Il vivait une main devant une main derrière son pantalon déchiré. Pour ne pas crever il dut se mettre dans la longue file des zombies en chômage qui, dès le devant-jour, attendaient leur tour à la porte de la Zacharian American Co, la ZAAMCO, la banque de sang frais de la rue des Fronts-Forts.

« Pendant des vacheries de semaines, le temps que son patron avait mis à la réparation du camion, il avait, un jour sur deux, tendu les veines à l'un des employés de Barbotog. C'était tantôt le bras droit, tantôt le gauche, qui le maintenait en vie, à trois dollars le litre de sang. Il se souvenait comme il avait envié les nègres qui avaient eu un tétanos. Ça portait du coup la transfusion à cinq dollars le litre. En deux mois, il s'était fendu de trente litres. Les gens ne le reconnaissaient plus dans la rue. Il était devenu l'ombre du *bœuf* rieur, luron, musclé qu'il avait été depuis qu'il avait laissé, à quinze ans, les mornes de son enfance, pour les vapeurs de béton de Port-au-Prince.

« Pour comble de déveine, un matin, à se pré-

174

senter comme d'habitude à la rue des Fronts-Forts, Pascal avait trouvé les portes de la banque fermées. Un détachement de soldats, en tenue de campagne, était là pour faire circuler ceux qui demandaient des explications. Pascal s'était fâché rouge parce que, ce matin-là, plus qu'aucun autre, il avait eu besoin de trois dollars. Au lieu de vider les lieux comme un agent le lui avait ordonné, il s'était mis à protester tout haut. Alors plusieurs militaires s'étaient avancés vers lui.

« "Ah, ah, ah! avait vomi le plus féroce d'entre eux, monsieur veut à tout prix bazarder son sang! Monsieur en a tellement dans son cadavre-corps qu'il ne sait quoi en faire! Nous aussi, ça nous connaît, la transfusion! N'est-ce pas, doc Dédé?" Le doc Dédé était un serpent en uniforme qui faisait deux mètres de haut et un de large. Doc Dédé s'était jeté sur Pascal. D'un coup de matraque il lui avait ouvert le front. Excités par le sang frais, les autres s'étaient mis aussi à le frapper à la tête et partout. À un moment donné doc Dédé sortit de sa poche un bout de ficelle, ramassa un gros clou qui traînait sur la chaussée et mima pour ses compagnons une scène de prise de sang. Doc Dédé lui piqua le bras à plusieurs endroits, du biceps au poignet. Pascal était parti de là au pas de course plus percé qu'une passoire.

« Dès le lendemain les plaies s'étaient infectées. Pascal avait eu un maître-tétanos qui l'avait conduit à l'hôpital à un petit doigt de la mort. Après sa guérison, un nègre de Carrefour, faisant le malin à ses dépens, lui avait dit : "Espèce de grand veinard, maintenant que tu l'as eu, ton papa-tétanos, tu peux te débiter à cinq dollars le litre!" Lui qui n'avait jamais fait de mal à une fourmi, ce soir-là, il avait craché à la figure de l'homme, tant les outrages de la rue des Fronts-Forts avaient gâté pour toujours quelque chose dans son cœur. En plus de ça, durant son séjour à l'hôpital, un voisin de lit lui avait appris pourquoi la banque de Barbotog-Moutamad était restée plus d'une quinzaine sans ouvrir ses portes à la race bovine de la ville : ces jours-là, l'ONEDA était en train de vampiriser les partisans et la famille de l'ex-sénateur Henri Postel. Ce massacre avait drainé dans les locaux de la banque une rivière de sang frais de tous les groupes imaginables. Au lieu des cinquante mille litres que la ZAAMCO exporte mensuellement vers l'étranger, l'exportation de sang d'homme avait atteint, ce mois-là, le chiffre record de deux cent mille litres. L'inondation onédo-zacharienne avait jeté la panique à la Bourse internationale de sang (BIS). La banque-mère avait aussitôt demandé à sa filiale de Port-au-Prince de fermer pendant deux ou trois semaines ses portes afin de rétablir l'équilibre sur le marché sanguin. N'était-ce pas le président-directeur général de la ZAAMCO qui se proposait de le tirer de l'espèce du bœuf avec les fonds de sa banque?

«Au beau milieu de la cérémonie du Palais, tout était soudain revenu à la mémoire de Pascal Joubert : le matin où il avait eu besoin de quinze bâtards de *gourdes* pour des antibiotiques; les coups qui lui avaient cassé la tête et trois dents de devant; le serpent géant à lunettes noires de doc Dédé jouant l'infirmier avec ses bras dans la rue; le papa-clou rouillé qu'on avait enfoncé dans sa chair; les éclats de rire des fils de putain; et toute la saloperie sans fin de la vie au Grand Pays Zacharien.

« Alors une rage plus bleue que leur foutu salon de sorcellerie d'État avait commencé à bouillir en lui : "Si tu fais, qu'il s'était dit, ce que Barbotog t'a demandé, tu tomberas au-dessous de l'animal le plus répugnant de la terre. Barbotog et Ange Zacharie, n'est-ce pas kif kif et merde-merde? Si maintenant ils s'entre-dévorent, c'est leur saleté d'affaire à eux, mangeurs de nègres en affaires! Qu'est-ce que tu vas chercher dans ce micmac de vampires?"

« Avec ce vent chaud dans la tête, il avait eu au-dedans de lui plus d'écumes que la rade de Jacmel par mauvais temps. Il s'était mis à dévisager les restes de chrétiens-vivants que le salopard de Siméon tenait en haleine avec ses *bakasseries*.

« "Cochon de Barbotog, se dit Pascal, tu te trompes dans les grandes largeurs du con carnassier de l'ONEDA si tu crois que je vais t'aider à enculer l'Ange du pouvoir. Maître Tog-Tog, viens t'asseoir sur ça." En signe de conjuration il pointa vers l'*aganman* le majeur de la main droite, pris entre l'index et l'annulaire repliés. Il répéta rageusement son geste plusieurs fois : "viens foutre t'asseoir sur ça!"

« "Quant à toi, pensa-t-il, tournant le regard

vers Ange Zacharie, si Port-au-Prince était pavé de membres d'animaux de proie, tu marcherais sur le derrière à vif! Pascal von Phallus, mes deux!"

« Pascal ne savait sur quoi aurait débouché le vent sec et ordurier qui soufflait en lui, si à ce moment-là, un incident n'avait détourné leur attention à tous. L'un des gentils bœufs de la nuit, le marin Ti-Lab, s'était évanoui. Siméon s'était éloigné de ses offices macabres pour s'occuper du jeune homme. Après l'avoir tripoté un peu il était revenu à son travail en disant : "Ce n'est rien de bien grave. Ce novice n'était pas préparé à recevoir dans sa tête d'homme de mer l'un des plus vaillants *loas* terriens : le prince Ti-Jean Sandor!"

« Après ces mots, Siméon défit le cordon d'un grand sac en pite qu'il avait jusque-là gardé à l'écart de ses travaux. Pascal le vit ouvrir le sac d'où il tira le coq que Ti-Lab, en revenant à lui, avait découvert en train de se goinfrer. Le *bocor* dit aux assistants :

« "Vous avez sans doute reconnu dans ce papa-coq l'honorable Mesmin Crafkir, le préfet de Port-au-Prince!"

« Il y eut un mouvement de stupeur dans la pièce. Tout le monde avait vu Crafkir porter le président. Nul ne voyait à quel moment de la soirée Siméon l'avait changé en papa-coq-bataille et enfermé dans un sac. Le vrai Crafkir, en effet, n'était pas là. Siméon, indifférent à l'effroi qui l'entourait, avait ajouté :

« "Ce magistrat-coq, après avoir avalé sept grains de mais, s'arrêtera de manger pour chanter avant les autres coqs de la ville. Son chant annoncera au Grand Pays Zacharien que l'enterrement d'Henri Postel est pour dimanche à quatre heures de l'après-midi!"

« Siméon dénoua les pattes de Crafkir. Aussitôt libéré, le coq promena sur l'assistance un regard ahuri, humain, inquiet. Il remua la tête à droite, à gauche, comme s'il cherchait quelqu'un. Il découvrit le maïs répandu sur le tapis. Il se jeta dessus. Après de nombreux becquetages il leva la crête, scruta de nouveau les gens et se remit à s'empiffrer de plus belle. Pascal, comme tout un chacun, entendait le bruit que faisait chaque grain de maïs dans le gosier de Crafkir. Siméon sans perdre son sang-froid déclara : "Ce coq politique a ça de particulier qu'il ne compte pas comme tout le monde. Son système de numération est à l'envers, partant de 1 000 ou de 100 à 1. Il n'y a pas de quoi s'inquiéter : au chiffre 7 il chantera le départ sans retour d'Henri Postel!"

« Le *baka*, penché sur le coq, remuait les lèvres, comme s'il comptait tout bas avec lui. Au bout d'un long moment le coq se dressa de nouveau sur ses éperons. Il dévisagea le salon d'un air éberlué. Puis il sauta sur doc Phalbus. Il glissa, se rattrapa d'un battement d'ailes. Une fois bien perché dessus, le bec entrouvert, il resta un instant attentif à l'odeur du devant-jour qui entrait avec l'air du dehors. Il gonfla le cou et soudain il chanta. "Je vous l'avais dit, s'écria Siméon, au chiffre 7 exactement Crafkir a chanté le glas

179

d'Henri Postel! Chantez donc avec Mesmin, mes amis!" ordonna joyeusement Siméon.

« Ange Zacharie prit les devants : de sa voix de tête, elle lança :

« "Co-hoco ricô-ô-ô!" Le coq s'envola, épouvanté, à l'autre bout du salon. Pascal vit le journaliste Daumac se précipiter derrière lui. Il maîtrisa papa-Crafkir et le ramena au *bokor*. Tonton Sept-Jours saisit le coq des mains de Daumac. Il le tint par les pattes, la tête en bas. Il le ventailla aux quatre points cardinaux. Ensuite il souffla du *mavangou* sur sa crête et ses éperons. Il l'embrassa affectueusement en disant tout haut : "Merci, magistrat, digne serviteur du président Zoocrate Zacharie, au nom du mât suiffé et du fiel de taureau, au nom de Ti-Jean Sandor et de toute la confrérie des *Vlanbindingues*[1], merci bon genre de papa des chrétiens-vivants du Grand Pays Zacharien!"

« Pascal Joubert remarqua que Clovis Barbotog s'était abstenu de coqueriquer avec l'assistance. Il avait réprimé un geste de colère et de dégoût au moment du coqueriquement général. Pascal vit Siméon souffler quelque chose à l'oreille du président Zacharie. À son tour, celui-ci se pencha vers son gendre. Le colonel Boipiraud sortit et revint immédiatement avec la même escouade de soldats qui avait amené le mât suiffé au Palais. Siméon leur dit : "Portez avec précaution Son Excellence jusqu'à la grille d'entrée de ce Palais.

---

1. *Vlanbindingues* : confrérie de sorciers.

Le mât a envie d'aller à la cathédrale étrenner son titre de Grand Électrificateur des âmes. Pour ça il lui faut un *Te Deum*. Mgr Wolgondé est prêt à exaucer ses vœux. N'est-ce pas, cher collègue ?" L'archevêque de Port-au-Prince acquiesça allégrement de la tête. "Après le *Te Deum*, continua Siméon, le Chef Spirituel ira dans les marchés de la ville se remonter avant de reprendre son poste de combat sur la place. L'opération de cette nuit lui a creusé l'estomac."

« "Vive le poteau-mitan de l'Électrification des âmes !"

« Après ces vivats que toute l'assistance beugla dans l'avant-jour, le président, suivi de sa tribu, se retira précipitamment dans le sillage des soldats qui emportaient son double en bois suiffé.

« Alors un officier s'approcha de Pascal et de ses compagnons. Il remit à chacun d'eux une enveloppe contenant cinquante-sept dollars treize centimes. Le militaire leur demanda de la boucler : "Ce que les yeux voient, la bouche n'a pas à le répéter. Celui d'entre vous qui l'oublie fera un magnifique compagnon de dernier voyage à Henri Postel !"

« Une fois dans la rue, Pascal se sépara des autres grimpeurs. Nildevert était resté pour prendre soin de Ti-Lab. La première idée qui vint à l'esprit du *bœuf-à-la-chaîne*, ce fut de venir immédiatement à Tête-Bœuf mettre Henri Postel au courant des événements qu'il venait de vivre. Mais il changea d'avis pensant qu'il devait avoir un espion à ses trousses. Il décida de rentrer à

Carrefour et de passer dans la matinée chez l'ex-sénateur. »

Tel était le contenu essentiel du second récit que sor Cisafleur fit à ses voisins. À la fin elle ajouta pour Postel :

— Sénat papa, écoute bien ceci : Pascal m'a prié de te dire de faire tout ce qui est en ton pouvoir pour atteindre le sommet du mât cet après-midi même. Il va t'aider à le faire. Henri Postel au sommet du mât, dès cet après-midi ! C'est la surprise que nous avons pour tous ces fils de la Grande Merde onédo-zacharienne ! Ils n'auront pas un Postel froid à leur banquet du dimanche soir ! Qu'est-ce que tu penses de ça, maître Horace ? dit sor Cisa.

— Ça m'a l'air tout à fait sensé. Il ne faut pas attendre demain. Ton destin, chef, est de monter tout de suite. Il sera bientôt l'heure de partir.

— Bonne chance, sénat chéri, dit sor Cisa.

Elle embrassa soudain Postel sur la bouche. Elle avait les yeux pleins de larmes.

— Allons, dit maître Horace. Brissaricq nous emmène tous sur la place. Il doit être là déjà. Je vais prévenir Elisa.

*

La voiture qui devait conduire Henri Postel sur la place était une Mercedes noire encore en bon état. Elle était stationnée dans une impasse de Tête-Bœuf. L'ex-sénateur y accéda en compagnie de maître Horace. Il aidait le cordonnier à porter le sac de cendres. Le jeune homme assis au volant, à l'approche de ses deux aînés, ouvrit la portière à sa droite.

— Montez donc, dit-il aimablement.

— Après toi, chef.

— Merci, dit Postel.

Le cordonnier fit les présentations : Henri Postel, Jean-Jacques Brissaricq. Ils se serrèrent les mains.

— Enchanté de vous rencontrer, frère, dit Brissaricq.

— Heureux, moi aussi. Comment ça va ?

— Pas trop mal. Et vous ?

— En bonne forme pour ce que j'ai à faire. Horace m'a mis au courant de votre conversation de ce matin. Merci de n'avoir pas ri du Noé de Tête-Bœuf.

— Rire de votre action ? Jamais de la vie, dit Brissaricq. Plus d'un chemin mène au but que nous poursuivons.

— J'ai la chance, dit Postel, de voir le trajet que vous aurez à parcourir. C'est aux jeunes de mener le pays au plus haut de sa marée.

Postel donna une tape de frère à l'épaule de Brissaricq.

— Alors, on y va, fit le jeune homme, la voix rauque d'émotion.

— Un instant, camarade, dit maître Horace. Nos amies doivent nous rejoindre. Tenez, les voici qui arrivent.

Les deux femmes pénétraient à leur tour dans l'impasse déserte. Maître Horace céda sa place à

183

Elisa auprès de Postel et s'installa sur le siège arrière aux côtés de sor Cisa.

Brissaricq démarra lentement jusqu'à l'avenue Dessalines où il accéléra. Postel prit la main d'Elisa dans la sienne. Ils se taisaient.

Le Port-au-Prince du samedi après-midi 22 octobre défilait sous leurs yeux dans son décor d'opéra colonial. À mesure qu'ils roulaient, le flux de gens qui se rendaient sur la place des Héros grossissait de tous les côtés, à croire que la *Cour Bréa*, la *Cour des Fourmis, Trou-Cochon,* le *Fort-Saint-Clair, Bolosse,* et les autres cours des miracles de la ville basse se déversaient complètement sur la place.

Postel happait au passage, avidement, les images de la cité. À l'amoncellement lugubre et mesquin des maisons de bois s'ajoutaient le tohu-bohu et le bariolage de ce jour férié. À partir de la rue Pavée, Brissaricq ralentit pour éviter un accident. La chaussée bouillonnait de piétons. Des affiches fraîchement posées accrochaient les regards. L'une disait : «Seule l'ONEDA pouvait conquérir l'Électricité au barrage de Véligre et dans les âmes des citoyens pour donner de la lumière à l'État du président Zacharie.» Une autre hurlait : «Ange Zacharie est la gardienne vigilante du Noir Troupeau des onédo-zachariens.» Des centaines de mètres plus loin, sur un mur à l'angle de la rue Monseigneur-Guilloux, une nouvelle affiche semblait le complément de la précédente : «Depuis vingt-quatre heures *l'érection permanente de l'État bossalo-phallocratique est décrétée!* »

À la hauteur de la rue Lamarre, dernier goulot

avant la place, il leur devint presque impossible d'avancer. Le rouleau compresseur était maintenant un tourbillon de têtes, de bras et de jambes qui se délovaient dans la fosse torride de l'après-midi. Les ouvriers, artisans, boutiquiers, domestiques, employés, chômeurs, dans leurs hardes bariolées des jours de fête, étaient déjà tout chiffonnés et trempés aux aisselles et au dos. Les traits étaient surmenés, hâves, poudrés de l'espèce de talc qu'aux heures les plus accablantes du temps zacharien la détresse met aux mines des personnes soumises depuis toujours à la dénutrition. Sur des charrettes à deux roues tirées à bras d'hommes des familles étaient juchées pêle-mêle avec des gosses à l'air ivre, des chiens au bord de la rage, des chats échaudés et hydrophobes, bouffis de haine aux côtés de jacquots aux yeux brillants de goguenardise.

Au-dessus de la marée de gens et de bêtes émergeaient ici et là, comme de fantastiques périscopes, des badauds montés sur des échasses ou jambes de bois. Les marchands de « frescos », de glaces, de cigarettes à trois pour cinq centimes, de bonbons vaguement acidulés et de lourdes douceurs à base de noix de coco, maïs, pistache, gingembre, vaille que vaille cuits dans la mélasse ou le sucre candi, se donnaient un tintouin fou à pousser leurs étalages dans ce magma organique.

Des théories d'êtres n'ayant que la peau et les os, en loques, les pieds nus et enflés, le cuir des fesses à l'air, exhibaient dans l'accablement du soleil des moignons, des bosses, des plaies, des bouches édentées, des narines et des oreilles guillochées de poil, des yeux chassieux, des phénomènes d'hernies, des difformités et des découpes anatomiques à la dérive. L'un de ces squelettes ambulants, le plus naturellement du monde, ouvrit sa braguette et pissa contre un arbre. Une femme ne tarda pas à l'imiter, les jambes écartées sous l'œil d'un perroquet qui s'exclama : « Fais voir ton gros coco, maman-bouzin. » La propriétaire de l'oiseau-voyeur lui assena une taloche qui le tua net.

Les citoyens de la vieille Mercedes regardaient tout ça et bien d'autres images de leur Port-au-Prince du désespoir. Ils ne disaient rien tandis que la voiture roulait à l'allure d'un corbillard dans un convoi monstre. Chacun était seul avec ses perceptions qui faisaient mal comme des coups de rasoir au ventre.

À l'entrée de la place, Brissaricq tourna à gauche. Il y avait beaucoup moins d'affluence. Il put accélérer de nouveau. Ils passèrent devant le ciné Paramount qui affichait : *Tué à froid* et annonçait son prochain programme : *Dialogue des Carmélites* et *Django tire le premier*. Brissaricq vira à droite et cent mètres plus loin, juste avant la rue Magny, il rangea la voiture.

Encadré de ses amis, Postel commença la traversée de la foule. Dès les premiers pas, il était reconnu. Les gens y allaient de leurs bravos : « Vive Postel ! Vive Postel ! » Ils s'écartaient avec admiration sur son passage. L'homme, le sourire aux lèvres, saisissait les mains qui se tendaient fiévreusement vers lui. À plusieurs reprises, comme un boxeur qui s'achemine vers le ring, il leva les poings rapprochés pour répondre aux vivats de la multitude. Quelqu'un cria à tue-tête :

— Postel au sommet du mât !

— Oui-i-i-i, reprirent des milliers de voix.

Ces cris d'enthousiasme exaspérèrent le public de la Tribune déjà médusé du fait que Postel était arrivé sur la place dix minutes après le Grand Électrificateur. Comme la veille le chef de l'État onédo-zacharien avait Barbotog à sa droite. Mais à sa gauche, au lieu de son épouse, était assise Ange, sa fille préférée, dans une robe de chez Chris Bior, au décolleté carré, manches au coude. Elle était coiffée d'une capeline blanche, en paille très fine, à ailes souples, enguirlandées de roses nature. Ange était flanquée des colonels Boipiraud et Dainmond. Au second rang étaient relégués Mgr Wolgondé, Siméon Sept-Jours-Ténébreux ; la première Dame de la République était placée entre sa rivale, madame de Saint-Totor, et sa fille Charlotte, en treillis de chef des milices onédistes.

Zoocrate était en uniforme kaki de l'armée, avec un flambant Stetson de luxe sur la tête. Il avait un fusil M1 entre les jambes. Barbotog arborait la tenue de campagne des onédistes avec une casquette en toile également tachetée, à la visière négligemment relevée.

À la table du jury, au pied du mât, Parfait Alexandrin, lui, était accoutré de la salopette d'entraînement des troupes d'assaut et portait un Borsalino sur la tête.

Avant de franchir la haie de soldats devant l'enceinte du tournoi, Postel, immergé dans l'afflux de vie de la foule, se sépara avec effusion de ses amis. Il regarda tendrement Elisa. De tout son sang il se raidit contre l'envie de l'embrasser. Il serra fort les deux mains de la jeune femme et lui souffla :

— Je t'aime, Zaza.

— Je t'aime, mon Henri. Reviens couvert de gloire !

Postel marcha vers le banc de ses compagnons de montée. À son approche, Ti-Lab et Pascal Joubert se poussèrent pour lui faire de la place entre eux deux, tandis que photographes et cameramen s'affairaient, sous les applaudissements de la foule. Au bout d'un instant, le Dr Alexandrin, excédé par le succès de Postel, fit un signe au chef de la fanfare du Palais qui attaqua l'*Hymne onédozacharien*. La place des Héros se pétrifia pour l'écouter.

L'hymne exécuté, le premier homme à reprendre le combat sur le mât fut Espingel Nildevert. Il n'avait plus la sacoche ni aucun des accoutrements du Baron-Samedi. Il portait un pantalon et une chemise au tissu décoloré. Les dernières vingt-quatre heures avaient accentué la saillie osseuse de ses pommettes et tout son aspect rustaud. Sa moustache s'était épaissie au-dessus de sa bouche violacée qui paraissait encore plus mince. Avec sa lourde démarche, ses pieds plats, ses jambes cassées, ses yeux couleur de fiel, ses traits déconfits, son nez et ses oreilles guillochés de vibrisses soyeuses, ses bras ballants, il avait l'air d'un animal plantigrade.

— Regarde-moi ça, dit sor Cisa. Leur Espincon a perdu sa dégaine de sergent-chef des cimetières. Il s'est frappé la tête à quelque chose de plus dur que lui.

Elisa étouffa son envie de rire, prêtant l'oreille à ce qu'au même moment Brissaricq disait à maître Horace.

— Il est bien amoché, le baron enragé d'hier, n'est-ce pas ?

— Oui, Nilderage se dégonfle, dit le cordonnier.

Parvenu auprès du mât, l'homme se signa trois fois, fit la génuflexion et chargea. Son style était aussi pesant que chacun de ses membres. Il commença par nouer tout son corps à la pièce de bois comme s'il était un gros cordage. Puis il se mit à grimper suivant un jeu bizarrement coordonné des orteils et des doigts. En avançant il soufflait si fort que les micros de la table du jury répercutaient ses ahans aux quatre coins de la place. Après trois minutes d'effort, à un mètre environ de la marque du jour précédent, il s'enraya net et se cramponna au poteau, bras et jambes pétrifiés.

Il regardait tantôt le sommet du mât, tantôt le vide au-dessous de lui, sans se décider. Une bave roussâtre coulait de ses lèvres tandis que son visage était une bosse tumescente au dos du mât. De la foule quelqu'un cria :

— Qu'attends-tu pour *expédier* le mât ?

— Chut ! Chut ! firent plusieurs voix.

189

Le temps passait et Nildevert restait embossé au même endroit.

— Tu n'iras pas plus haut, lui lança Alexandrin. Descends, Espingel !

L'homme n'obtempéra pas. Il continuait à former un câble coaxial avec le poteau gluant.

— Descends foutre ! C'est un ordre ! Descends, espèce de sangsue lubrique ! hurla le vice-ministre de l'ONEDA.

— Le mât le mange tout cru ! dit un spectateur.

Des éclats de rire accueillirent ces paroles.

— C'est plutôt lui qui dévore le mât, ajouta un deuxième spectateur.

Les rires fusèrent de plus belle.

— Descends de la roue de l'ONEDA ! Tu refuses ? C'est bien ça ? Regarde !

L'adjoint de Barbotog tenait braqué vers l'homme son colt 45. À la vue de l'arme Nildevert poussa un cri et dégringola lourdement du mât.

Sous les gaudrioles du public, Espingel, son gros cou dans les épaules, les jambes en arceaux, tituba vers son banc, du même air désarçonné qu'il avait la veille après les avatars de Baron-Samedi dans sa tête.

— À bas l'expéditeur expédié ! cria un homme.

— À bas Nildevache ! lança sor Cisa, d'une voix nasillarde.

Tout le monde riait et hurlait des moqueries au baron à plat. Le vice-ministre ne pouvait se faire entendre.

— Je déclare disqualifié le monteur Espingel Nildevert pour désobéissance aux ordres de l'agonothète de ces jeux onédo-zachariens. Messieurs les participants, l'heure n'est pas à la couillon-nade! Au suivant!

— Un autre guerrier! continuait Alexandrin. À qui foutre le tour? Voyons, Pascal Joubert. Tu m'as l'air bien culotté cet après-midi. Fais tourner la chance sur la roue dentée de l'histoire!

Au lieu de Pascal Joubert qui fit le sourd, ce fut Ti-Lab qui entra en lice. Le benjamin des partici-pants portait le même pantalon beige et le maillot rouge vineux maculés de taches de graisse comme le vêtement de travail d'un mécanicien. Il avait perdu son allure d'athlète timide.

Au pied du mât, le visage grave, il prit son temps pour sécher avec de la cendre mains, pieds et bras. Puis il attaqua. Il monta avec aisance, sans l'agressivité de la veille. Maintenant il était toute souplesse et félinité calculées. Sa première charge le conduisit au-dessus de la ligne où Postel était parvenu. Il descendit et, après une brève pause, il contre-attaqua. Il améliora sa montée de plu-sieurs centimètres sous les cris d'enthousiasme de la foule.

— Bravo, Ti-Lab! Un marin dans le vent debout!

— Un nègre cerf-volant, criait-on de la place.

— Après Ti-Lab, il convient que je monte, souf-fla Pascal à Postel assis à ses côtés. Ensuite, chef, ce sera ton tour. Faisons à nous trois un travail d'équipe. D'accord?

— D'accord, mon frère, dit Henri Postel.

À sa troisième tentative Ti-Lab semblait avoir

191

des réserves pour se hausser encore plus haut. Trois ou quatre mètres le séparaient du sommet du mât. Plus personne n'élevait la voix. Les gens qui avaient parié sur Ti-Lab, la gorge sèche, les yeux dilatés, se mordaient les lèvres.

Dès cet instant il se fit clair pour de nombreux spectateurs qu'il y avait des probabilités que le tournoi prenne fin le jour même. Depuis 1946 aucun mât de cocagne ne s'était décidé en deux après-midi.

Quand Ti-Lab redescendit, il ne tenta pas une quatrième montée. Tandis qu'il regagnait sa place sous les ovations de la foule, Pascal Joubert se précipita aussitôt sur le mât. Il avait les poches bourrées de sachets de cendres.

— Voici un bœuf réveillé ! plaisanta l'agonothète avec satisfaction.

Comme la veille, Pascal, le visage hilare, s'adonna d'abord à des drôleries. Après avoir cendré bras, mains et pieds, il dénoua de son cou un morceau d'étoffe écarlate. Face au mât il se mit à mimer les gestes d'un torero dans l'arène. Un spectateur des premiers rangs lui cria :

— Trêve de corrida, Pascal ! À l'action !

Il ne se le fit pas répéter. Il cessa de plaisanter. Il s'arc-bouta de toutes ses forces au mât, jambes et bras tendus. Il grimpa en coulée, avec sa grâce de funambule. Dès sa première élévation, il dépassa le point que Ti-Lab avait atteint à sa seconde tentative. Il revint précipitamment au sol. Après un moment de détente respiratoire, il repartit.

Cette fois, en cours d'ascension, il combina diverses techniques. Il observa des temps d'arrêt. À chacun d'eux, enlaçant vigoureusement le mât de ses jambes, il répandit le plus de cendre qu'il pouvait sur son parcours. À sa dernière halte, à moins d'un mètre du sommet, il projeta au-devant de lui le contenu de trois sachets sur l'espace vierge du tronc d'arbre.

La place était bouche bée. L'agilité, l'adresse et la force de Pascal en imposaient, faisaient sensation. Sur la Tribune, Barbotog, baba de contentement et de confiance, se disait :

« Vas-y, mon bœuf acrobate. Avec l'ONEDA au sommet du mât je fais de toi un des gros caïmans sans barbe de ce pays ! »

Postel, lui, se concentrait sur ce qu'il allait faire : « Tu vas atteindre le but tout de suite. Ti-Lab et Pascal t'ont donné leurs coups de main. Tout ce qui t'arrive depuis trois jours est de bonne qualité. Immédiatement au sommet du mât ! » Il était aussi confiant et déterminé que peut l'être un homme dans le feu de son action.

Quand Pascal eut vidé le dernier sachet de cendre, la foule le voyait déjà au sommet du mât tant était courte la distance qu'il lui restait à franchir. Aussi il y eut des cris de saisissement lorsqu'on le vit soudain battre en retraite vers le sol. Beaucoup de gens crurent qu'il allait observer une nouvelle pause avant l'assaut final. Mais arrivé au pied du mât, Pascal agita sa fausse muleta du début pour répondre aux vivats, tout en sautillant gaiement vers sa place.

— Pascal, s'écria, affolé, le Dr Alexandrin, qu'est-ce que tu fais? Et ton dernier coup de collier? Reviens à ton travail, bœuf volant! Demitour, Joubert, c'est un ordre!

L'homme fit comme s'il n'entendait pas. Déjà Henri Postel s'était levé et s'était dirigé vers l'endroit où se tenaient ses amis, à la droite de l'enceinte de la compétition. Comme un chirurgien à l'entrée d'une salle d'opérations, il tendit les mains à maître Horace. Mais tandis que Brissaricq aidait le cordonnier à maintenir ouvert le sac de cendre, ce fut sor Cisa qui avec fureur lui talqua les bras, les mains, le torse et le cou. Elle lui enfarina abondamment les épaules et le ventre après lui avoir enlevé sa chemise. Elle murmura à Postel : «Papa-Loko est avec toi, sénat Henri. Monte tout droit en sa compagnie!»

Quand sor Cisa eut fini, Elisa Valéry s'agenouilla à côté de Postel, lui enleva ses sandales de cuir, lui retroussa aux genoux le blue-jean et s'appliqua à enduire de cendre ses jambes et ses pieds.

Les premiers rangs de la foule et les spectateurs de la Tribune, éberlués, ne perdirent pas un détail de la scène. Plusieurs personnes soutinrent par la suite avoir vu la jeune femme baiser les pieds de l'homme avant de se lever.

Aucun des quatre amis de Postel n'était capable d'articuler un son avec leurs lèvres d'enfant qui ont envie de pleurer. Sor Cisa avait les yeux pleins de larmes. Elisa également, mais elle souriait, le visage saisi d'une moue de tendresse sans fin. Postel lui prit une seconde les mains et s'avança fièrement vers le centre incandescent de son sort.

De nouveau la foule avala sa langue, Postel respira profondément à plusieurs reprises et engagea le combat. Au départ il adopta le style *cocotier*: pieds solidement plaqués contre le poteau, en ayant soin de répartir l'effort de montée sur les jambes, les bras, les épaules, à mesure qu'il progressait. Il franchit ainsi la moitié du mât. Il parvenait à couler ses mouvements avec autant de grâce et de dextérité que Pascal. Les spectateurs étaient bleus d'ébahissement. Dans le silence, jusque sur la Tribune officielle on entendait des exclamations:

— Bon Dieu, quels bras de fer! Les seins m'en tombent! Cet homme a un panier de *points chauds* dans le sang!

— Il monte en feu d'artifice! s'écria un petit garçon dans la foule.

Quand Postel arriva au milieu du mât, on s'attendait à le voir descendre recharger ses batteries. Mais à la stupéfaction générale, dans une détente féline, il s'aplatit soudain contre le tronc, et, à plein corps, s'y chevilla. Il réussit ce changement de position avec plus de maestria encore que Pascal Joubert. Il prit un temps de respiration. Puis il se ramassa tout à fait sur lui-même, en boule, et commença à se déployer magistralement vers le sommet du mât de cocagne.

— Ça y est, dit maître Horace aux autres, maintenant sa cadence de montée et son cœur ne font plus qu'un.

— Il pousse comme un arbre ! dit sor Cisa, ravie.

— Un nègre-palmier ! dit Brissaricq.

— Tout un homme, tout un homme ! répéta doucement Elisa.

D'habitude, aux extrémités d'un mât suiffé, à peu de centimètres du sommet, on dissimulait sous la couche de graisse un obstacle imprévu : clous, griffes d'épervier, dents de requins, fil barbelé, tessons de bouteille, charogne de couleuvre ou de rat, etc. Parvenu à ce tournant décisif, Postel se mit à sonder des doigts la pâteuse carapace de suif. Immédiatement une puanteur sans nom le prit à la gorge et empesta la place au-dessous de lui.

La foule était sur des charbons ardents. Les gens se bouchaient le nez, les traits plissés de dégoût. Postel, au bord de la suffocation, le cœur barbouillé, surmontant son envie de vomir, se mit à flairer l'hernie étranglée du mât pour que chacun sur la place pût voir où se trouvait le foyer d'infection.

« Papa-Loko, priait tout haut sor Cisa, ne l'abandonne pas si près de son but. Reste à ses côtés jusqu'au bout de ses tribulations. Donne des ailes à son courage d'homme. Aide-le, je t'en prie, s'il te plaît. Il n'a pas le droit de manquer sa montée. Fais ça pour sor Cisa. Toute déglinguée que je suis, je ferai à genoux le pèlerinage de Ville-Bonheur. Oh *Loa*-bienfaisant, Loko-fraîcheur, arbre rédempteur, aide-le jusqu'au bout !

— Amen, dirent en chœur Elisa, maître Horace et Brissaricq qui écoutaient dans le vide qui s'était fait en eux.

Tout à coup on vit Henri Postel se pelotonner pour prendre un dernier élan. Mais au lieu de continuer à grimper, il se lança dans le vide, les bras tendus. Il saisit au vol l'une des entretoises en fer du tripode qui couronnait le mât de cocagne. Postel était suspendu au-dessus de la foule béate et transie d'émotion. Il se contractait dans un effort de lion pour se retenir de glisser sur le métal.

— Une civière! Infirmière, vite une civière! gueulait déjà Parfait Alexandrin.

À l'instant même, Henri Postel, les poignets à la limite de leur résistance, les jambes groupées, parvint à amener les pieds sur la mâture et à opérer un prodige de rétablissement.

Sans perdre de temps, il ouvrit la valise de cuir beige. Il en tira un trophée qu'il montra à la foule en délire : c'était le trésor dont avait parlé Barbotog. Le canon de l'arme brillait au soleil de même que sa crosse d'un bois très agréable à l'œil. Une rafale éclata soudain. Tout le monde vit Clovis Barbotog porter les deux mains à son ventre et Ange Zacharie se casser dans les bras de son père.

À ce moment-là, la place était si effervescente que peu de gens entendirent le coup de fusil qu'un franc-tireur posté sur le toit de la Tribune tira contre l'éclat de rire d'Henri Postel.

ÉPILOGUE

L'exploit d'Henri Postel et le bain de sang qui le suivit eurent des échos dans le monde entier. Pendant trois jours le Grand Pays Zacharien cessa d'être le tiers d'île le plus à l'écart des combats qui se livrent sur la terre. Puis il retomba dans son silence et ses ténèbres habituels. C'est ce qui fait qu'il m'a fallu près de deux ans pour transmuer sous la forme du récit qu'on vient de lire les éléments du drame vécu par Henri Postel.

Lorsqu'en exil j'entrepris de le narrer, je m'aperçus de suite qu'il était extrêmement difficile de parler de l'ex-sénateur et de relater avec exactitude les péripéties de la bataille qu'il engagea et gagna contre ceux qui avaient réussi un temps à faire de lui un mort-vivant.

Les commentaires de la presse et de la radio, de même que les récits des rares voyageurs de retour de Port-au-Prince laissaient scandaleusement dans l'ombre des aspects surprenants et des détails fort passionnants des derniers jours de sa vie. J'étais également dans l'ignorance de ce qui s'était passé après le coup de feu qui foudroya le champion du mât de cocagne de cette année-là.

J'en étais là de mon projet, lorsqu'au début de l'été 197…, de passage à Paris, un ami me présenta la jeune N.C. qui venait de couvrir, pour un hebdomadaire de son pays, les funérailles guignolesques de Zoocrate Zacharie qu'un infarctus

198

du myocarde avait terrassé deux semaines auparavant.

Au cours de la conversation, N.C. m'apprit que
la personne qui l'avait le mieux aidée à connaître
la situation du Grand Pays Zacharien après la mort
du «Grand Électrificateur des âmes» était une
ravissante jeune femme du nom d'Elisa Valéry.
L'année précédente, elle avait joué un rôle de premier plan lors des événements qui eurent Henri
Postel pour principal protagoniste.

N.C. avait rencontré un soir Elisa dans un
bourg perdu de province, chez un médecin qui,
s'étant vu retirer le droit d'exercer légalement sa
profession, se consacrait, dans les mornes avoisi-
nants, à des recherches sur les propriétés théra-
peutiques de certaines plantes tropicales.

J'étais tellement heureux de la piste qui s'ouvrait inopinément devant moi que N.C. m'offrit
de retourner immédiatement au pays s'assurer de
mon enquête auprès du seul survivant de ceux
qui vécurent de près la tragédie d'Henri Postel.

N.C. eut énormément de difficultés à retrouver
les traces de ma compatriote. La réponse d'Elisa
Valéry à la lettre que je lui envoyai se fit attendre
plusieurs mois. Puis un matin, alors que j'étais
absorbé par un autre travail, le facteur me remit
un paquet recommandé de Paris où N.C. me
transmettait les documents qu'elle venait de recevoir clandestinement de l'île.

J'avais enfin sur mon établi, plus palpables
qu'un manuscrit trouvé dans une bouteille, les
points d'appui et les outillages dont j'avais besoin

pour transplanter l'histoire d'Henri Postel dans les meilleures terres de mon imagination.

Outre trois cahiers bourrés de notes, d'impressions, de faits relatifs au champion de Tête-Bœuf et à chacun de ceux qui l'avaient aidé dans son entreprise, Elisa Valéry m'adressait des mêmes mains qui naguère avaient ébloui le héros de ce livre une lettre qui est à la fois un épilogue et tout un commencement de l'espérance dans notre pays.

Quelque part sous les tropiques
Le 23 février 1972.

Mon cher poète et frère,

Merci d'abord pour ta lettre de l'an passé. Elle a suivi un chemin des plus hasardeux jusqu'à mes mains. Ton amie N.C., à son retour ici, comme elle a dû te l'apprendre, n'arriva pas à me joindre de nouveau. La personne à qui elle confia ton message et tes questions eut aussi énormément de mal à retrouver mes traces.

Ce que je t'envoie, ce ne sont pas, comme tu me l'as demandé, «les ailes fortes et joyeuses pour le décollage et le vol sans escale du récit», sinon les notes que je commençai à jeter en désordre sur le papier dès le moment où sor Cisa vint solliciter mes «services de masseuse» pour son merveilleux voisin de Tête-Bœuf.

Mes impressions des événements que tu te proposes de narrer ne sont donc que des lambeaux de chair tout saignants d'Elisa Valéry. Je te les envoie malgré tout dans leur état palpitant, sachant que tu as la maturité qu'il faut pour les dépêtrer de mes émotions et de mes cris de cet octobre-là. N'hésite pas à réviser mes jugements par trop subjectifs, avant de les intégrer sereinement à ton projet de «relater exactement les faits touchant les derniers jours de la vie d'Henri Postel».

L'un des désirs exprimés dans ta lettre est que je parle de moi, de mon passé et de la femme que je suis devenue. Vraiment, mon poète, à ce sujet je n'ai pas grand-chose à dire. Avant le 21 octobre où tout a commencé, qu'étais-je? Une paire de mains plus ou moins expertes qui s'affairaient du matin au soir, dans un salon de *beauté*...

Vingt-quatre heures plus tard, après avoir connu, et si j'ose le dire *vécu* Henri Postel (pour parler comme lui) j'étais prise dans un tourbillon qui fit de moi «la personne la plus recherchée du Grand Pays Zacharien». Sous la même plume mercenaire de Daumac, j'ai lu, le mois dernier, que l'«onédo-zacharisme rénové ne pourra dormir sur ses deux oreilles tant que l'ange marron d'Henri Postel aura le visage légendairement ensorceleur de la jeune Elisa Valéry» (*sic*).

Tu m'as demandé aussi de parler de ce qu'il est advenu de Postel après sa mort et du sort de ses compatriotes qui partagèrent de près son aventure sur le mât suiffé. Bien qu'à ce sujet il y ait pas mal de détails dans ces cahiers, je vais te rapporter ici les faits avec un peu plus d'ordre. Je dois aller vite : l'huile de ma lampe baisse et le papier n'abonde pas non plus dans ces hauts parages néo-zachariens.

Le coup de feu tiré du toit de la tribune contre Henri ne le tua pas net. Pas plus d'ailleurs que la chute qu'il fit du mât qu'il venait de vaincre. Ce n'était pas un cadavre que notre petit groupe, à la faveur du chaos qui régnait sur la place, emporta en courant vers la voiture garée au coin de la rue Magny. Henri, avec une balle dans la gorge, les jambes cassées, respirait encore dans mes bras tandis que la Mercedes comme un bolide s'éloignait de l'endroit. Notre angoisse à tous était de trouver tout de suite un médecin chez qui le conduire. Mais Postel lui-même eut encore la force de nous en dissuader. « Pas la peine, Zaza, pour moi c'est la fin. Fais ce que j'ai demandé tantôt. Et restez tous dans la montagne pour… » Il ne put continuer. Son cœur ne battait plus. Quelle direction fallait-il prendre ?

Après un bref échange d'idées on opta pour la route de Jacmel où Postel était né. En plus de ça maître Horace avait dans la même région un cousin médecin qui, après de très graves problèmes avec Zacharie, expulsé du corps médical, s'était retiré dans les mornes de Cap-Rouge, non loin de Jacmel, où, tout en cultivant de maigres champs de café et de maïs, il se livrait à des expériences sur les plantes médicinales du pays.

Nous étions entassés comme des harengs dans la voiture. Aux côtés de Brissaricq qui conduisait étaient assis sor Cisa et maître Horace. À l'arrière se trouvaient Pascal, Ti-Lab et moi, avec l'ex-Henri allongé sur les jambes à nous trois. J'avais sa tête sur mes genoux, immobile dans mes mains

202

comme une fantastique poupée de cire. La mort avait durci ses traits. Sur sa bouche pacifiée flottait l'ombre de l'éclat de rire qui l'avait secoué au sommet du mât tandis qu'il tirait sur les premiers rangs de la tribune des autorités.

La traversée jusqu'à Jacmel ne fut pas de tout repos. On mit plus de sept heures à franchir les 80 km qui séparent les deux villes. Après le Carrefour-Dufort ce n'était pas à proprement parler sur une route qu'on fonçait, mais dans un chemin de terre sans fin envahi de cailloux et d'herbes, creusé de fondrières, quasi impraticable, raviné, dégradé, tantôt montant tortueusement vers les étoiles, tantôt dégringolant en toboggan vers des passes d'eau où, à les traverser à gué, on s'embourba plus d'une fois.

Au beau milieu du parcours, on se heurta à un obstacle encore plus dangereux. À l'un de nos arrêts forcés sur la berge d'une rivière, deux onédistes ruraux, armés de Springfield, surgirent d'un fourré et se plantèrent, menaçants, devant nos phares. C'était un poste dissimulé de contrôle. Ils nous invitèrent à descendre pour fouiller la voiture. Les jeunes hommes qui nous accompagnaient firent preuve d'un sang-froid admirable. Brissaricq fut le premier à sortir. Les mains en l'air, il s'approcha des deux sbires tandis que Pascal et Ti-Lab faisaient comme lui. Désarmer nos assaillants fut ensuite l'affaire d'une seconde. Tandis que Brissaricq étranglait sans bavure celui qu'il avait saisi au collet, Ti-Lab et Pascal réglaient non moins élégamment son compte au second. Le

203

cours du torrent se chargea du reste. On emporta avec nous les deux fusils et deux colts 38.

— L'opération Postel commence, dit sèchement Brissaricq en redémarrant.

Après un dernier gué, passé minuit, on arriva aux approches de Jacmel. À notre surprise, le poste à l'entrée de la ville s'était endormi. On fila un moment dans des rues défoncées, vides et désolées, sans lumière, entre des maisons en ruine. La petite cité semblait jouir de son premier sommeil paisible après une peste, un cyclone ou un autre cataclysme. Peu après on s'engagea, au nord de Jacmel, à l'intérieur des terres, sur une piste qui grimpait à Cap-Rouge, chez le Dr Olivier Vermont. Tu peux faire librement usage de son nom. Notre ami a pu récemment quitter le pays.

Tout se passa ensuite comme Henri l'avait souhaité. Le Dr Vermont se montra à la hauteur des circonstances. Il nous prêta généreusement son concours. Il réunit rapidement quelques paysans de confiance avec qui on improvisa la fête que voulait Henri, dans le jardin qui entourait la maison, parmi les hibiscus, des bougainvillées, des amarantes, des lilas et des lauriers-roses. Sor Cisa et moi, aidées de plusieurs autres femmes, on fit la toilette du mort. On le lava tendrement avec une infusion de feuilles d'oranger, de corossolier et de médicinier. Ma cousine et les autres femmes voulaient ensuite boucher ses narines et ses oreilles avec des tampons d'ouate, serrer sa mâchoire avec une mentonnière et lier entre eux ses gros orteils. L'une d'elles parla aussi de lui mettre une machette à la main. J'eus quelque mal à les convaincre qu'Henri Postel n'avait pas besoin de ces derniers apprêts funèbres. Qu'il fallait plutôt le considérer comme l'invité muet de la dernière fête organisée en son honneur. On n'eut pas non plus à retourner les poches de la chemise et du pantalon propres que le Dr Vermont nous offrit pour lui. Il y eut bien des lamentations qui jaillirent de temps à autre des gorges féminines. Mais cette nuit-là au lieu de traduire dans nos mornes le désespoir devant la mort, ils faisaient penser plutôt aux tranchées de l'enfantement.

— Nous fêtons Noël-Postel, s'écria à plusieurs reprises sor Cisa elle-même.

Tandis qu'Henri était étendu sur une natte, on a chanté, dansé, *vécu* son départ avec les congos et les tendres mouvements de nos corps, au rythme de tambours bien accordés à la force de notre sang. Juste avant de confier ses restes au bûcher qui brûlait joyeusement, maître Horace, Brissaricq, sor Cisa et les autres furent de l'avis qu'il appartenait à moi de lui faire nos adieux.

— C'est à toi de parler, me dit ma cousine. Tu as *vécu* et *dansé* sa vie et sa mort avec la même rage que ces flammes qui vont l'incorporer à jamais à l'aventure des arbres de ce pays ! Parle, Zaza !

Les mots d'amour hésitaient dans ma gorge serrée. Je regardais le feu, la nuit si belle au-dessus de mon prince vainqueur, les gens encore plus beaux qui l'entouraient. J'entendais les coqs chanter dans nos arbres et je dis :

— Henri bien-aimé, il n'y a pas eu autour de

ton corps des cris lugubres de désolation. Tu finis cette étape de ta vie au milieu de ton peuple. Tu seras un berceau joyeux pour tout ce qui naîtra de bien et de beau sur nos terres. Ta mort a suivi l'exemple de toute ta vie. Ta mort soutiendra la lumière des tiens, parce que de ton vivant tu as su élargir leur droit à l'espoir et à la liberté. Quand l'homme-Postel était à recommencer, après cinq ans de Tête-Bœuf, tu es reparti à zéro, porté jusqu'au sommet du mât par le vouloir bon et pur de ton cœur sans ombres. Ta mort nourrira les actions et les rêves de ton peuple comme ta vie a fécondé ma vie…

Quelques instants après, dans le jour qui se levait sur Cap-Rouge ses cendres se mêlaient doucement aux ceibas, manguiers, flamboyants, goyaviers, amandiers, citronniers, arbres à pain et autres essences généreuses de nos montagnes.

Le jour même commença pour notre groupe une vie à chaque instant pleine de risques. On se dispersa. Brissaricq, Ti-Lab et Pascal parvinrent à quitter rapidement la région et à regagner sans encombre Port-au-Prince. On resta des mois sans nouvelles d'eux. On apprit un matin, que, victimes d'une délation, ils furent encerclés par mille onédistes dans la maison qui leur servait de base d'opérations sur les hauteurs de Boutilliers. À eux trois, ils résistèrent pendant plus de vingt-quatre heures aux assauts de l'ONEDA. Il ne resta rien d'eux, ni de la maison, anéantis à coups d'obus de mortier.

À peu près à la même époque, ma cousine sor

Cisa qui depuis les événements de l'octobre précédent n'était plus la même personne n'eut plus qu'une idée en tête : tenir sa promesse envers Papa-Loko. À la fin de juin elle rentra à Port-au-Prince d'où elle comptait partir en pèlerinage à Ville-Bonheur. Un gendarme la reconnut comme « la marchande de Tête-Bœuf qui avait talqué Postel sur la place » tandis que Cisafleur se traînait à genoux sur la route encombrée de pèlerins. Elle eut une fin atroce : on l'acheva au siège de l'ONEDA à coups de nerfs de bœuf après qu'on eut détruit son sexe avec un énorme godemiché en bois d'acajou. Ensuite à l'endroit où s'élevait Tête-Bœuf (qui, comme tu as dû l'apprendre, a été réduite en cendres peu de jours après le triomphe d'Henri) on exposa, ficelé à une petite chaise basse, semblable à celle où ma cousine s'asseyait pour préparer ses fritures, l'objet épouvantable qu'elle était devenue.

Quant à maître Horace, il resta encore un temps auprès de moi, tantôt chez le Dr Vermont, tantôt chez des amis sûrs que son cousin avait dans la région. Vieilli et fatigué de n'avoir plus de souliers à ressemeler, il ne parlait presque plus ni n'avait l'envie d'ouvrir un livre. Quand il lui arrivait d'élever la voix, c'était pour me dire : « Ah ! Zaza chérie, si j'avais ton âge ! Ne te laisse pas avoir, toi. Ne quitte pas ces montagnes. Tu y as tout un chemin postélien ouvert devant toi ! Suis-le, petite fille ! » Il me prenait comme un père sur ses genoux et il avait des larmes aux yeux.

Un soir il disparut de notre dernier refuge commun. De lui également, on n'eut pas de nouvelles durant des semaines. Puis le Dr Vermont, au retour d'un séjour dans la capitale, m'apprit que notre Horace Vermont, dénoncé par un voisin de l'ami cordonnier chez qui il avait trouvé un toit au Portail-Léogâne, avait été torturé au Fort-Dimanche par Ange Zacharie en personne. Ensuite, encore en vie, on l'avait largué, avec du plomb dans ses poches, dans le golfe de la Gonâve, du haut d'un hélicoptère de l'armée.

Par ailleurs, tu es sans doute au courant du bain de sang où Zacharie plongea le pays après la déroute que Postel lui infligea sur le mât de cocagne. Cette fois «le sanglant octobre onédo-zacharien» dévora aussi quelques-uns des siens. Tu sais que Clovis Barbotog et Ange Zacharie, à peine relevés des blessures pas trop graves que l'arme d'Henri leur avait causées, reprirent leur lutte fratricide. Tu me fais grâce de ne pas rapporter les péripéties et les rebondissements de cette farce de Palais. Son dénouement vaut cependant la peine d'être conté.

Un soir, sentant le parquet de l'ONEDA brûler de plus en plus sous ses pas, Barbotog choisit de disparaître de la scène. Les rumeurs les plus fantastiques se mirent à courir au sujet de sa disparition. Puis, deux mois après, on trouva la clef de l'énigme dans la presse du régime. La veille, déguisé en religieuse, Clovis Barbotog avait essayé, en plein jour, d'assassiner à la fois le président Zacharie, sa fille Ange et plusieurs ministres. «Sœur Clovis» avait franchi sans problème aucun

208

les grilles du Palais. Il était parvenu jusqu'au salon où le nouveau cabinet ministériel était réuni. «Sœur Clovis» avait alors tiré de sous ses faux voiles une mitraillette, et avait fait feu sur ses collègues. Il avait manqué le président et sa fille, ses deux cibles préférées. Par contre, il avait abattu le ministre du Commerce, son vieil ami Habib Moutamad et deux autres secrétaires de l'État onédozacharien. On dit que cet attentat est pour beaucoup dans l'infarctus qui devait, la semaine suivante, conduire Zoocrate Zacharie au bout de sa sinistre représentation.

Depuis, le Pouvoir est apparemment entre les mains de l'Ange Zacharie. L'ONEDA porte minijupes et robes de chez Chris Bior et fait moins parler de ses exploits. Cependant les conditions dans lesquelles nous vivons et luttons ici restent extrêmement difficiles. Je donne à ma patience des sabots de diamant. Quand les jours qui se suivent ont un poids trop accablant je ferme les yeux et je sens aussitôt la force vitale d'Henri qui corrige, allège, rafraîchit ma vision des choses. Je souhaite ce même soleil au travail qui attend ta main droite à l'heure de porter au loin l'histoire du dernier combat d'Henri Postel.

Moi aussi je t'embrasse tendrement.

Zaza Valéry.

DU MÊME AUTEUR

Poésie

ÉTINCELLES, Imprimerie de l'État, Haïti, 1945.

GERBE DE SANG, Imprimerie de l'État, Haïti, 1946.

VÉGÉTATION DE CLARTÉS, *préface d'Aimé Césaire*, Pierre Seghers, Paris, 1951.

TRADUIT DU GRAND LARGE, Pierre Seghers, Paris, 1952.

MINERAI NOIR, Présence Africaine, Paris, 1956 (épuisé).

JOURNAL D'UN ANIMAL MARIN, Pierre Seghers, Paris, 1964 (épuisé).

UN ARC-EN-CIEL POUR L'OCCIDENT CHRÉTIEN, Présence Africaine, Paris, 1967 (épuisé).

CANTATE D'OCTOBRE (Éd. bilingue), Institut du Livre, La Havane, La S.N.E.D., Alger, 1968.

POÈTE À CUBA, *préface de Claude Roy*, Pierre-Jean Oswald, Paris, 1976 (épuisé).

POETA A CUBA, *introduction de Ugo Salati* (Éd. italienne bilingue), Edizioni Accademia, Milano, 1975.

EN ÉTAT DE POÉSIE, coll. La Petite Sirène, Éditeurs Français Réunis, Paris, 1980.

RENÉ DEPESTRE, par Claude Couffon, coll. Poètes d'aujourd'hui, Pierre Seghers, Paris, 1986 (choix de poèmes).

RENÉ DEPESTRE, Aus dem Tagebuch eines Meerestieres, Verlag Volk und Welt, Berlin, 1986 (Éd. bilingue, choix de poèmes).

AU MATIN DE LA NÉGRITUDE, *préface de Georges-Emmanuel Cancier*, Euroeditor, 1990 (éd. hors commerce).

JOURNAL D'UN ANIMAL MARIN (anthologie), Gallimard, 1990.

ANTHOLOGIE PERSONNELLE, Actes Sud, 1993 (prix Apollinaire, 1993).

Prose

POUR LA RÉVOLUTION POUR LA POÉSIE, *essai*, Leméac, Montréal, 1974.

LE MÂT DE COCAGNE, *roman*, Gallimard, Paris, 1979, prix Grinzane Cavour (Turin, 1996) version italienne.

BONJOUR ET ADIEU À LA NÉGRITUDE, *essais*, Robert Laffont, Paris, 1980 (réédité en 1989).

ALLÉLUIA POUR UNE FEMME-JARDIN, *récits*, Gallimard, Paris, 1981 (Bourse Goncourt de la nouvelle, 1982) (Folio n° 1713).

HADRIANA DANS TOUS MES RÊVES, *roman*, Gallimard, 1988 (prix Renaudot, 1988) (Folio n° 2182).

ÉROS DANS UN TRAIN CHINOIS, *nouvelles*, Gallimard, 1990 (Folio n° 2456).

Les aventures de la créolité, in ÉCRIRE LA « PAROLE DE NUIT » La nouvelle littérature antillaise (Folio essais, 1994).

La mort coupée sur mesure, in collectif NOIR DES ÎLES, Gallimard, 1995.

LE MÉTIER À MÉTISSER, *essai*, Stock, 1998.

AINSI PARLE LE FLEUVE NOIR, *essai*, Éditions Paroles d'Aube, 1998.

Sa prose et sa poésie sont traduites en plusieurs langues.

Traductions

LE GRAND ZOO, de Nicolás Guillén, Pierre Seghers, 1966.

POÉSIE CUBAINE 1959-1966, anthologie (éd. bilingue), Institut du Livre, La Havane, 1967.

AVEC LES MÊMES MAINS, de Roberto Fernandez Retamar, Pierre-Jean Oswald, Paris, 1968.

UN CATALOGUE DE VIEILLES AUTOMOBILES, de César Fernandez Moreno, Saint-Germain-des-Prés-Unesco, Paris, 1988.

COLLECTION FOLIO

Dernières parutions

Composition Interligne.
Impression Société Nouvelle Firmin-Didot
à Mesnil-sur-l'Estrée, le 21 avril 1998.
Dépôt légal : avril 1998.
Numéro d'imprimeur : 42610.

ISBN 2-07-040423-4/Imprimé en France.